Collection dirigée par Marc Nouschi
Maître de conférences à l'Institut d'Études politiques de Paris

Le monde des Balkans

Poudrière ou zone de paix ?

Georges Castellan
Professeur émérite

Thémathèque
Histoire

Du même auteur :

La vie quotidienne en Serbie au seuil de l'indépendance, coll. « La vie quotidienne », Hachette, 1967

L'Albanie, coll. « Que sais-je ? », n° 1800, PUF, 1980 (nouvelle édition à paraître)

Histoire de la Roumanie, coll. « Que sais-je ? », n° 2124, PUF, 1984 (nouvelle édition à paraître)

A history of the Romanians, Columbia Univ. Press., New York, 1989

Histoire des Balkans du XIVe au XXe siècle, Fayard, 1991

Histoire des peuples de l'Europe centrale des origines à nos jours, Fayard, à paraître

Dans la série Thémathèque/Histoire :

En quête d'Europe par Marc NOUSCHI

La France et le monde arabe par André NOUSCHI

Danger : le « photocopillage « tue le livre.

ISBN : 2-7117-8460-6

63, bd St-Germain
75005 Paris

Pour Arielle,
à l'occasion de ses vingt ans.
Avec toute mon affection.

Sommaire

Sommaire

Chapitre 1

— La terre et les hommes —

Balkan est un mot turc désignant la « montagne ».

Ce nom est resté à la chaîne de la Bulgarie que les Anciens désignaient comme l'Haemus et que les Slaves d'aujourd'hui appellent la *Stara Planina*, la « Vieille montagne ».

1. Le pays

La péninsule des Balkans - nous employons le pluriel - est limitée par quatre mers : l'Adriatique à l'ouest, la Méditerranée au sud, la mer Egée et la mer Noire à l'est. Au nord, sa limite géographique est le Danube, mais l'histoire nous oblige à y inclure les pays roumains jusqu'aux confins de la plaine d'Ukraine.

Le relief

Au Sud, les montagnes de la Grèce et de l'Albanie sont des plis du système alpin englobant des massifs plus anciens comme le Šar et la Pinde, culminant à 2 916 mètres dans l'Olympe. Les îles yougoslaves et helléniques se rattachent à ce système. Au centre, on trouve de vieux massifs primaires - hercyniens - érodés puis relevés par les mouvements des Alpes : le Rodope, le Rila, le Pirin, couverts de pâturages et de forêts. Au nord, l'arc tertiaire des Carpates culmine à 2 520 mètres. Il se moule autour du môle effondré du bassin de Pannonie - plaine hongroise - et se prolonge au sud du Danube par ce que les Français nomment le Balkan.

Entre ces montagnes, plateaux et plaines humanisent le paysage. Au nord, la Moldavie associe un piedmont des Carpates aux confins de la plaine de l'Ukraine, tandis qu'au sud de la chaîne, la percée du Danube donne naissance à la large plaine de Valachie qui s'étend jusqu'à la mer. En Grèce, en Albanie, en Serbie, la coupure des plis par l'érosion - les *Klisure* - a créé de nombreux petits bassins fermés.

Un pays de contraste. Des montagnes jamais infranchissables — aucune ne dépasse 3 000 mètres — mais qui retardent le voyageur, qui obligent à des détours les armées en opération.

Depuis des millénaires, les grands axes de la circulation interbalkanique n'ont pas changé : ainsi, la voie Morava-Vardar, qui unit Belgrade à Salonique, la vieille voie romaine — *via Egnatia* — qui allait de Durrës sur l'Adriatique à Salonique sur la mer Egée.

En dehors de ces axes existent des cantons fermés : plaines maritimes de l'Attique et du Péloponnèse, bassin d'Ohrid, de Prespa et de Bosnie, hautes surfaces du Rodope et du Pinde, et au nord du Danube, bassin de Transylvanie entre les monts Apuşeni et les Carpates. Tous lieux de refuge, conservatoires de peuples et de cultures : des cités-États de la Grèce antique aux tribus monténégrines et albanaises, sans oublier le peuple roumain du haut Moyen Âge.

Le climat

Sur des terres si diverses règnent des climats qui combinent les influences venues de la Méditerranée et celles venues des plaines de l'Europe centrale et orientale.

Les premières dominent jusqu'à l'entrée des Dardanelles avec des étés chauds et secs, des hivers doux, des pluies de printemps et d'automne. Elles font les paradis du tourisme : Grèce des îles, du Péloponnèse, du golfe de Corinthe, côtes yougoslaves, avec leur végétation d'oliviers, d'agrumes et de cyprès. Mais le relief vient perturber cette belle ordonnance : le Parnasse est couvert de neige durant des mois, et les Alpes albanaises justifient leur appellation.

À partir du nord, les influences continentales font baisser le thermomètre à Bucarest à - 30° avant de le faire remonter, en été, à + 40°, tandis que Belgrade connaît de violentes tempêtes de neige qui se marient avec de dures et longues sécheresses estivales. L'olivier disparaît au nord du Bosphore, remplacé par des chênes et des conifères des massifs bulgares, puis par les forêts nordiques — sapins et bouleaux — des Carpates.

Deux caractéristiques marquent les terres balkaniques : l'existence de microclimats de bassins plus ou moins fermés, comme ceux de Sofia, Ohrid, Sarajevo : l'importance de vents violents : la *bora* de la région de Trieste, le *vardarac* de Salonique, le *meltemi* des îles de la mer Egée, si agréable en été.

UNE TERRE INGRATE

Tout n'est pas aisé sous ce ciel privilégié. L'eau est rare, le sol stérile. Le labeur humain est nécessaire afin de mieux répartir ces trésors des pays secs, l'eau ruisselante et la terre meuble. La civilisation, selon la judicieuse remarque de Vidal de la Blache, est faite de la lutte contre les obstacles dressés par la nature pour éprouver le génie humain.

L'eau des rivières pourrait suppléer les pluies défaillantes. Mais que tirer de ces torrents « fous ou gueux », dévalant de la montagne en dévastateurs, roulant, avec les eaux furibondes, cailloux, graviers et sables, ou rétrécis en un mince filet paresseux entre les galets arrondis ? Parfois même le fleuve disparaît entier dans un gouffre, fabuleuse entrée des Enfers. Les vallées étroites, creusées dans les calcaires en gorges, ne peuvent guère servir de routes. L'homme ne recherche point les cours d'eau.

Mais, à côté, cette pente rapide, qui dégringole à la mer à travers les alluvions du torrent, recueille les maigres cultures. La place est mesurée : le roc est nu, le maquis broussailleux, l'ombre pauvre ; un implacable soleil accentue tous ces tons sombres, du vert de gris de l'olivette au vert noirâtre des chênes nains. Les carrés vert tendre ou jaunes, les vignes, les blés, les maïs mettent des taches colorées dans cette poussière monotone. Des murettes de pierres grises ou blanches découpent la pente en étages : l'orage ne pourra ébouler la terre meuble ; les précieuses parcelles seront maintenues sur le champ miraculeux ; le ruissellement, guidé, arrosera les gradins devenus fertiles. Pas une motte n'est négligée. Pas une goutte n'est perdue. En bas, les fleuves travailleurs, arrachant les sols d'en haut, ont accumulé les boues, créé des plaines marécageuses ; ils ont ensablé les ports de jadis ; ils menacent ceux d'aujourd'hui, faisant pulluler, avec les moustiques, les fièvres paludéennes. Pour vivre là, pour que les champs puissent disputer la place aux roseaux, aux salicornes, il faut lutter, assécher. Mais généralement la steppe domine, tapis d'herbes rases qui verdissent au printemps, se fanent et s'étiolent sous l'ardent soleil estival, puis durant l'hiver bourbier de fange et d'eau.

J. Ancel, « Peuples et nations des Balkans », *Géographie politique*, A. Colin p.5.

Cultures et sous-sol

La péninsule offre de riches possibilités de cultures. Sur les sols calcaires, le blé a été relayé depuis le XVIe siècle par le maïs qui apparaît aujourd'hui comme la plus « balkanique » des céréales ; la vigne prospère jusque sur les pentes des Carpates ; le riz, le coton, le tabac voisinent dans les petites plaines méridionales, tandis que le pommier et le prunier règnent sur les collines serbes, bulgares, roumaines. Dans l'élevage, les ovins dominent au sud, les bovins au nord, mais la Moldavie connaît aussi la transhumance des moutons.

Dès la plus haute Antiquité, les richesses du sous-sol ont été exploitées : l'or des rivières des Carpates fascina l'empereur Trajan et ses légions ; au Moyen Âge, la réputation de richesse des princes serbes et bulgares se fonda sur les mines de Bosnie et de Macédoine ; l'industrie moderne s'intéresse au cuivre et à l'aluminium des Carpates, au ferro-nickel des Albanais, au pétrole de Valachie, d'Albanie centrale, de Croatie et de la Grèce en mer Egée.

2. Les peuples

Forts de plus de 70 millions d'habitants, les Balkans forment des blocs ethnolinguistiques qui ont donné naissance à des États : la Grèce, la Serbie, la Roumanie, l'Albanie, puis à des « minorités » : Turcs, Arméniens, Valaques, Juifs, Tsiganes et autres, qui sont arrivés dans l'Empire byzantin ou ottoman, Allemands et Hongrois venus d'Europe centrale.

Les blocs ethnolinguistiques

Il s'agit de groupements d'hommes unis par la cohabitation et la langue.

Les *Grecs* sont des locuteurs d'une langue indo-européenne. Venus des steppes de la Russie du Sud, ils firent mouvement au début du IIe millénaire avant J.-C. et rencontrèrent dans les Balkans un peuple de culture crétoise — les Minoens. Ils furent renforcés en 1580 av. J.-C. par une seconde vague d'envahisseurs — les Achéens — qui se combinèrent avec l'héritage de la Crète et dominèrent la brillante civilisation du Mycénien (1600-1100 av. J.-C.) immortalisée par Homère. Vers 1200 av. J.-C., une troisième invasion, celle des Doriens, mit un point final à l'arrivée des Grecs dans ce qui allait devenir la Grèce. Elle connut une très remarquable période au Ve siècle av. J.-C., puis fut entraîné dans l'aventure d'Alexandre le Grand et constitua à partir du IVe siècle après J.-C. l'Empire byzantin qui dura jusqu'en 1453, date de la prise de Constantinople par les Ottomans. La révolte des Grecs (1821-1830) aboutit à la création d'un État chrétien moderne.

Les *Illyriens - Albanais*, également locuteurs indo-européens, glissèrent des rives du Danube au bord de la mer Adriatique, sans doute dans les mouvements de peuples qui accompagnèrent les Achéens. Là, ils se stabilisèrent durant deux millénaires en groupements éphémères de tribus insoumises et, sous l'influence des cités grecques du littoral, puis des Slaves, ils donnèrent naissance au peuple albanais. Celui-ci résista longtemps aux Ottomans avant d'être dominé par eux jusqu'en 1912, date de la création d'une Principauté d'Albanie, à l'origine de l'actuelle République.

Les *Roumains* d'aujourd'hui se réclament des *Daces*, éléments d'un bloc thraco-dace indo-européen qui s'individualisa à la fin du IIe millénaire av. J.-C. Leurs tribus turbulentes, partiellement unifiées sous Burebista (70-44 av. J.-C.), furent conquises par les Romains sous l'empereur Trajan (102-106 ap. J.-C.). Il en fit la province de Dacie, fortement colonisée, de façon à servir de brise-lames contre les Barbares. Mais ceux-ci furent les plus forts et la province fut évacuée par Aurélien (271-272)

Deux théories s'opposent alors. Les habitants romanisés, les Daco-romains, restèrent-ils sur place ou furent-ils évacués avec l'armée et l'administration ? Les historiens roumains se prononcent à une large majorité pour la théorie de la continuité : les Daco-romains restèrent sur place et bien que dominés par la suite par les Gots puis les Slaves, réapparurent au moment de la conquête hongroise, sous la forme de petites principautés donnant naissance à la Valachie et à la Moldavie. D'autres historiens, en particulier les Hongrois, sont partisans d'une évacuation totale, c'est la théorie du philologue allemand Robert Roessler, formulée en 1871. Elle explique que le peuple roumain s'est formé, au sud du Danube, dans les Balkans d'où ces bergers nomades remontèrent vers le nord pour s'établir au XIIIe siècle dans les Carpates et sur le plateau transylvain. L'intérêt très actuel de cette dispute est clair : il s'agit d'une antériorité d'occupation de la Transylvanie par les Roumains ou par les Hongrois.

Les *Bulgares* et les *Serbes* sont des Slaves. Originaires de la zone entre Oder et Dniepr, ils franchirent les Carpates à partir du VIe siècle après J.-C. Soumis par les Avars — apparentés aux Huns —, ils envahirent l'Empire byzantin et pénétrèrent jusqu'au Péloponnèse. En 626, ils mirent sans succès le siège devant Byzance. À la différence de leurs maîtres avars, les Slaves ne se contentèrent pas de piller, ils s'installèrent comme agriculteurs et constituèrent des « slavinies » indépendantes dont le souvenir reste dans la toponymie.

Leurs tribus de l'Est furent soumises au VIIe siècle par un peuple touranien parent des Turcs, les *Protobulgares* qui, en 681, obtinrent de Byzance la reconnaissance de leur État à cheval sur le Danube. La fusion entre les deux populations s'acheva deux siècles plus tard après la conversion au christianisme du tsar Boris (852-889). Ainsi naquirent les Bulgares qui prirent aux Touraniens leur nom, tandis que leur langue et la culture provenaient des Slaves. Ils formèrent un empire qui dura jusqu'au XIVe siècle pour tomber alors sous les coups des Ottomans. Leur révolte en 1876, appuyée par la Russie, aboutit à la naissance en 1878 d'une principauté, puis d'un royaume de Bulgarie.

Les tribus slaves de l'Ouest, *Serbes*, mais aussi *Croates* et *Slovènes*, furent libérés de la domination des Avars par les Francs de Charlemagne. Les Serbes furent soumis par les Bulgares avant de constituer au Xe siècle leurs premières formations politiques qui durèrent jusqu'à l'arrivée des Ottomans au XVe siècle. La révolte de Karageorge (1804-1813) fut le point de départ d'une résurrection d'une principauté puis d'un royaume de Serbie. Les Croates connurent près de deux siècles d'indépendance de leur royaume (910-1102) avant d'être subordonnés à l'autorité du roi de Hongrie et d'y rester jusqu'en 1918. Les Slovènes, établis dans les vallées des Alpes, n'échappèrent à la domination franque que pour tomber sous celle des Habsbourg et ne purent se doter d'une organisation étatique qu'à la fin de la Première Guerre mondiale.

LA MOSAIQUE DES NATIONALITÉS DANS LES BALKANS

Albanie — Population : 3 200 000 habitants (1988)
Albanais : 97 %.
Minorités : Grecs orthodoxes : de 60 000 à 400 000 (?) au sud du pays.
Bulgarie — Population : 8 500 000 habitants.
Bulgares : 86 % orthodoxes, mais 100 000 à 150 000 Pomatsi, Bulgares musulmans.
Minorités : Turcs : de 600 000 à 1 200 000 (?).
Tsiganes : 200 000 à 300 000.
Grèce — Population : 10 250 000 habitants (mars 1991).
La Grèce ne reconnaît aucune minorité.

Il existe des Turcs en Thrace, des Slaves en bordure de la Macédoine, des Albanais en Épire et dans quelques villages de l'intérieur.

Roumanie — Population : 23 000 000 habitants (1988).

Dont 20 734 000 Roumains (90,1 %) ; 1 753 000 Magyars (Hongrois) (7,6 %) ; 239 700 Allemands (1,1 %) ;
276 000 autres (Ukrainiens, Russes, Bulgares, etc.) (1,2 %).
Juifs et Tsiganes ne sont pas considérés comme des minorités nationales. Ils sont évalués à :
- 20 000 Juifs,
- 2 300 000 Tsiganes.

Ex-Yougoslavie (Recensement de 1981) :

- Bosnie-Herzégovine — Population : 4 124 000 habitants dont 39,5 % de musulmans [1], 32 % de Serbes et 18,3 % de Croates.
- Croatie — Population : 4 691 000 habitants.
Dont 75 % de Croates ; 11,5 % de Serbes ; 19,5 % « divers » (Hongrois, Slovènes).
- Macédoine — Population : 1 900 000 habitants.
Dont 67,3 % de Macédoniens ; 19,8 % d'Albanais ; 4,5 % de Turcs ; 2,3 % de Serbes.
- Monténégro — Population : 584 000 habitants.
Dont 68 % de Monténégrins ; 13,9 % de Serbes ; 6,3 % d'Albanais ; 3,2 % de Musulmans.
- Serbie (proprement dite) — Population : 5 494 000 habitants.
Dont 85,4 % de Serbes ; 2,6 % de Musulmans.
- Kosovo — Population : 1 584 000 habitants.
Dont 77,3 % d'Albanais ; 13,1 % de Serbes ; 3,6 % de Musulmans.
- Voïvodine — Population : 2 034 000 habitants.
Dont 54,4 % de Serbes ; 18,9 % de Hongrois ; 5,3 % de Croates.
- Slovénie — Population : 1 891 000 habitants.
Dont 90,2 % de Slovènes ; 3,2 % de Croates ; 2,2 % de Serbes.

1. Les musulmans ne se reconnaissant d'aucune des nationalités yougoslaves.

Les groupes minoritaires

Tout d'abord les *Turcs*. Venus d'Asie centrale puis d'Asie Mineure, les Turcs constituèrent un vaste empire sous les Seldjoukides au XIe siècle avant de se diviser et de donner naissance à une petite principauté à proximité de Brousse. Son bey était un certain Osman ou Othman (1290-1324) dont on a tiré le terme généalogique d'Ottomans. En un siècle — 1354-1453 —, ils firent la conquête des Balkans et y établirent leur domination jusqu'en 1923.

Sans doute ces *ghazi* — combattants de la foi — ne firent-ils pas une politique systématique de conversion. Il n'en reste pas moins qu'ils firent venir d'Asie Mineure un certain nombre de Turcs. Dès 1356, Orkhan, fils d'Osman, établit en Thrace des Turcomans d'Anatolie pour empêcher les princes chrétiens de l'expulser de la rive occidentale du Bosphore. Mahomet II, conquérant de Constantinople, en appela d'autres pour repeupler la capitale. Puis les villes de l'Empire ottoman attirèrent soldats, fonctionnaires et marchands. De plus, on colonisa certaines régions stratégiques comme la Dobrudja et les bords du Danube, ou dépeuplées par les guerres et les épidémies comme le littoral bulgare et la Macédoine. Il faut toutefois faire attention : jusqu'au XIXe siècle, tout musulman était réputé Turc. Il importe donc de vérifier par l'histoire — et par la langue —, qui l'est et qui ne l'est pas.

Notons enfin la présence de certains peuples musulmans dont l'établissement a été favorisé par les sultans : ainsi les Tcherkesses du Caucase établis en Moldavie, les Tatars de Crimée transplantés sur le plateau bulgare, les Gagaouzes descendants des Petchénègues et convertis au christianisme que l'on rencontre autour de Varna et en Moldavie ex-soviétique.

Les *Valaques*, qui s'appellent eux-mêmes Aroumains, Tsintsares dans le Pinde, Vlasi en Bosnie, sont une population éparse dont on trouve des descendants en Grèce, en Macédoine yougoslave, en Bosnie, en Bulgarie, en Albanie. Ils parlent une langue, l'aroumain, apparentée au latin et fixée au XIXe siècle. Ils ont longtemps vécu comme des bergers nomades. Ils sont aujourd'hui pratiquement assimilés mais publient journaux et revues dans leur langue.

Les *Arméniens* se sont répandus dans tout l'Empire ottoman à partir du XVIe siècle, date à laquelle l'Arménie du Caucase fut partagée entre les Perses et le Sultan. On les trouve dans les villes des Balkans, surtout attirés par le commerce. Leurs rivaux sont les *Juifs*, dont les Sephardim, chassés d'Espagne en 1492 et qui firent la fortune de Salonique, puis les Askenazim, refoulés par les tsars de Russie. Eux aussi sont des éléments essentiellement urbains.

Les *Tsiganes*, très nombreux en Roumanie — on parle de centaines de milliers —, en Macédoine yougoslave, en Grèce, sont arrivés de l'Inde à partir du XVe siècle. Beaucoup sont sédentarisés, mais retrouvent vite l'attrait de l'errance vers l'Occident. Longtemps esclaves, ils constituent une frange de population toujours marginalisée.

L'enchevêtrement des peuples et des religions dans les Balkans

Source : d'après *Ramsès* 1993.

Les *Allemands* ont été amenés en Transylvanie, au Banat, en Vojvodine par la colonisation. Les « Saxons » de Transylvanie sont établis depuis le milieu du XIIe siècle et ont joui d'un statut spécial jusqu'à la Première Guerre mondiale. Les Souabes du Banat avaient été colonisés par Marie-Thérèse lors de la récupération du territoire hongrois sur les Ottomans. Les Allemands de Bessarabie s'établirent au XIXe siècle. Tous ont été entraînés dans les remous de la dernière guerre et beaucoup ont été déportés : seuls restent quelque trente mille Saxons en Transylvanie.

Les *Hongrois* ont peuplé l'arc des Carpates dès le début du XIe siècle, peu après s'être établis dans la plaine. Incorporés depuis 1918 à la Roumanie, ils ont difficilement vécu cette diminutia capitis et leurs deux (à trois ?) millions constituent l'un des problèmes de la Roumanie actuelle.

3. Les religions

Cette mosaïque de peuples doit sa complexité au fait que les Balkans ont été pendant quatre à cinq siècles partie intégrante de l'Empire ottoman dans lequel les sujets du Sultan se déplaçaient et s'établissaient de gré ou de force. Elle est encore compliquée par la carte des religions.

Les Orthodoxes ou fidèles de l'Église d'Orient

Ceux que nous appelons les Orthodoxes sont en réalité des fidèles de l'Église d'Orient, c'est-à-dire du Patriarcat de Constantinople, qui s'est séparé de Rome en 1054. En fait, la division de l'Empire romain par Théodose en 395 avait accentué la rivalité entre les sièges de la première et de la deuxième Rome. La chute de la vieille capitale prise par le roi des Wisigoths Alaric en 406, puis la déposition, soixante-dix ans plus tard, du dernier empereur d'Occident, Romulus Augustule, transformèrent peu à peu la limite de séparation de l'Empire, de Sirmium (Sremska Mitrovica) sur le Danube, à Dioclea près de l'actuelle Podgorica au Montenegro, en une limite de foi : à l'ouest, le domaine de Rome, à l'est, celui de Constantinople. De conflits d'obédience ecclésiastique en querelles liturgiques, on arriva en 1054 à l'excommunication du patriarche byzantin Michel Cerulaire par le pape Léon XI. La séparation devenait définitive.

Très proche de sa rivale latine par sa théologie qui se borne à refuser dans la Trinité la procession du Saint Esprit — question du Filioque —, la primauté du siège de Pierre et l'existence du Purgatoire, l'Église d'Orient en diverge profondément sur le plan de la discipline ecclésiastique : le Patriarche partage son autorité avec les archevêques et abbés du Saint Synode et admet l'autonomie de certaines Églises sous un métropolite : ce sont les Églises autocéphales ; la liturgie se célèbre en grec mais aussi en slavon — proche du vieux bulgare — dans les Balkans ; les moines fournissent seuls les sièges épiscopaux et les prêtres peuvent être mariés.

Le Moyen Âge avait vu se constituer dans chacun des royaumes ou empires une Église autocéphale avec à sa tête un patriarche. Ce fut le cas des Bulgares puis des Serbes, tandis que les Valaques se contentaient d'un métropolite d'Ungro-Valachie, à partir de 1359. La conquête ottomane les fit disparaître au bénéfice de Constantinople où la charge de Patriarche fut rétablie par Mahomet II immédiatement après la prise de la ville en mai 1453. Le Patriarche œcuménique était aux yeux du Sultan le chef de ses sujets chrétiens ; il figurait sur le protocole des Ottomans comme « pacha à trois queues de cheval ». Son autorité s'étendait à tous les Balkans à l'exception de la période 1557-1756, pendant laquelle un « Patriarche serbe » avait été rétabli sur le siège de Peć, au Kosovo, par le grand vizir Sokulu. La création d'États chrétiens indépendants au XIXe siècle provoqua une lutte contre l'Église qui s'était hellénisée et une nationalisation des organisations ecclésiastiques. L'Église de Grèce brouillée avec le Patriarcat œcuménique par la Révolte de 1821 devint autocéphale en 1850 ; les Serbes signèrent avec le Phanar [(1)] une Convention de janvier 1832, reconnaissant l'indépendance de leur Église ; les Bulgares, non encore indépendants, obtinrent une Église autocéphale en 1860. Par la suite, ces États transformèrent leurs métropolites en Patriarches : les Serbes dès octobre 1919, les Bulgares en 1924, les Roumains en 1926 ; seule la Grèce a gardé son métropolite, mais est en communion avec le Patriarche — grec — d'Istanbul. En dépit de querelles disciplinaires, les Églises d'Orient des Balkans constituent une communauté regroupée autour du Patriarche œcuménique et, fortes de leurs traditions culturelles millénaires, elles entendent traiter d'égale à égale avec Rome : on le vit bien lors de la visite à Istanbul du pape Paul VI en 1964.

(1) Quartier de Constantinople où résidait le Patriarche.

Les Catholiques

Ils apparaissent marginalisés, réduits aux pays slaves de l'Ouest et au Nord des pays albanais, bien que Rome n'ait jamais renoncé à attirer à elle les « frères séparés » d'Orient. Jusqu'à la conquête ottomane se multiplièrent les tentatives d'Union, soit à travers les Princes tel le tsar bulgare Kaloyan qui reçut une couronne du pape en 1204, soit directement avec les responsables religieux comme lors des conciles de Lyon (1274) ou de Florence (1439). De leur côté, les sultans autorisèrent les activités missionnaires des franciscains en Bosnie dès le XVe siècle, en Bulgarie aux XVIe-XVIIe siècles, où l'archevêque catholique de Sofia, P. Bogdan a laissé un durable souvenir ; au XIXe siècle, en Albanie du nord où les prêtres autrichiens et italiens se firent les auxiliaires de leurs gouvernements.

La hiérarchie catholique est partout présente dans les capitales balkaniques, à Belgrade comme à Athènes, à Sofia comme à Istanbul, mais les fidèles y sont très minoritaires, sauf dans les régions catholiques de Slovénie, de Croatie, de Dalmatie, d'Albanie autour de Skodra. On a là des Églises complètes, fortement structurées avec un cardinal à Zagreb et qui constituent — sauf pour les Albanais — une des références fondamentales du nationalisme de ces peuples. À quoi il faut ajouter les *Uniates* de Transylvanie et du Banat. Sujets des Habsbourg jusqu'en 1918, ils remontent à la Contre-Réforme : c'est en octobre 1698 que le métropolite roumain de Karlsburg (Alba Julia) fit acte de soumission au Saint Siège qui lui laissa sa liturgie et sa discipline ecclésiastique (mariage des prêtres). Supprimés par le pouvoir communiste en octobre 1948, les Uniates ont retrouvé, depuis décembre 1989, la possibilité de reconstituer leur Église, pour laquelle Rome a désigné la hiérarchie nécessaire.

Les Musulmans

L'on sait que les conquérants ottomans n'ont pas fait une politique systématique de conversion. Il n'empêche qu'en certaines régions, les passages à l'Islam furent nombreux. Ce fut le cas de la Bosnie où ils pénétrèrent au lendemain de la prise de Constantinople. La frontière entre les deux Églises d'Occident et d'Orient partageait la région, et Rome comme Constantinople persécutaient les Bogomiles qui la dominaient. Moitié conviction, moitié intérêt, les nobles bosniaques se convertirent à l'Islam, gardant ainsi leurs terres et leurs paysans-serfs qui suivirent leurs maîtres dans leur foi nouvelle. Il reste actuellement quelque 40 % de musulmans dans la République de Bosnie Herzégovine. Au XVIIe siècle, on assista à une islamisation relativement étendue parmi les populations de Macédoine, d'Albanie et de Bulgarie. Il y eut d'abord des installations de colons d'Anatolie en Dobrudja, dans la Bulgarie du Nord, mais il y eut aussi des conversions plus ou moins volontaires des Pomaks *(Pomaci)* du Rodope bulgare, de Slaves macédoniens, d'Albanais du Kosovo. Ce sont ces gens que les voyageurs désignaient comme « Turcs » et qui se comportèrent comme tels lors des insurrections du XIXe siècle. Leur fidélité à l'Islam avait fait disparaître chez eux le sentiment d'appartenance à des groupes nationaux et de nos jours encore, les « musulmans de Bosnie » posent problème.

Les autres religions

À ces trois grandes religions, il faut ajouter en milieu catholique — Croatie, Slovénie, Transylvanie, Banat — des représentants de la Réforme : luthériens des Alpes slovènes et du pays saxon de Transylvanie, réformés hongrois de la Vojvodine ou de la Transylvanie. À quoi s'ajoutent les juifs décimés par le génocide de la Seconde Guerre mondiale ; les Arméniens présents dans les villes balkaniques et qui sont majoritairement fidèles à leur Église autonome du rite d'Antioche.

Entre groupes ethnolinguistiques et confessions religieuses s'est développée une dialectique multiséculaire qui est à l'origine des identités nationales.

Les Ottomans firent des chefs religieux les responsables de leurs fidèles par le système des *millet*, c'est-à-dire d'auto-administration de la confession, ce qui figea celle-ci : les fidèles ne pouvaient en sortir que par la conversion. Ce statut privilégiait l'administratif aux dépens du théologique. Il priva l'Église d'Orient des développements vigoureux qui avaient auparavant agité l'Empire byzantin : elle ne connut ni la Renaissance ni la Réforme. Mais le *millet* a permis la conservation de la foi religieuse et son affirmation face au musulman ; elle a rendu indissociables les binômes grec et orthodoxe, serbe ou bulgare et orthodoxe. L'Histoire a imposé aux peuples des Balkans le facteur religieux dans l'élaboration de leurs cultures.

Chapitre 2

— L'Histoire et ses mythes —

Hormis les Turcs dont la présence à Istanbul et en Thrace n'est que le reste de leur domination passée, les peuples des Balkans s'affirment de nos jours au nom d'une longue histoire. Ainsi, les Grecs, les Bulgares, les Serbes, les Roumains, les Albanais, dont les États actuels couvrent la totalité de la Péninsule.

Cette histoire a ses mythes, c'est-à-dire ses temps forts plus ou moins simplifiés ou vulgarisés, que ces peuples se sont appropriés pour en faire des références positives ou négatives dans leur action passée, présente et à venir.

1. Les Grecs

Forts de leur antiquité dans les Balkans, les Grecs privilégient volontiers trois mythes de leur passé.

La démocratie de Périclès (462-429 avant J.-C.)

L'on sait le moment privilégié que connurent la civilisation et la culture grecques sous le gouvernement du fils de Xanthippe et le souvenir qu'il laissa. Les Grecs en font un des âges d'or de l'humanité.

Athènes sortait victorieuse de la guerre contre les Perses — Guerres médiques (490-479) — et avait mis sous son autorité toutes les villes de l'Attique dans la Confédération de Délos. Périclès, plus de trente fois réélu dans ses fonctions de stratège, était investi de la confiance populaire. Il fit participer pleinement l'ensemble des citoyens à l'exercice de la souveraineté en généralisant le système du tirage au sort des magistrats et en introduisant la mistophorie — indemnité qui était versée aux plus pauvres. Sur le plan extérieur, il commanda la flotte qui se rendit en Crimée soumettre les colonies révoltées et s'empara de

Sinope sur la côte nord de l'Asie Mineure ; surtout par la paix de Calcas (449), il mit un terme aux Guerres médiques et élimina les Perses de la mer Egée. Le port du Pirée devint le centre du commerce méditerranéen par suite de l'apogée économique de la ville. Quant à celle-ci, elle fut transformée par Phidias qui construisit le Parthénon et illustrée par les grands dramaturges Eschyle, Sophocle, Euripide et par l'historien Hérodote.

On a tendance à sous-estimer le caractère limité de la démocratie qui ne s'adressait qu'à une petite minorité de la population d'Athènes : sur 400 000 habitants, il y avait à peu près la moitié d'esclaves, 70 000 métèques, étrangers sans droit politique ; restaient 130 000 citoyens avec femmes et enfants, soit environ 30 000 à 40 000 citoyens actifs. De même pour la politique extérieure, le transfert du trésor de la Ligue de Délos au Parthénon (454) transforma l'alliance des villes en un Empire athénien, dont les alliés révoltés — Eubée (446), Samos (440), furent impitoyablement châtiés. La guerre contre Sparte et Corinthe (première Guerre du Péloponnèse de 459 à 446) et l'expédition désastreuse contre les Perses d'Égypte (454) marquent les limites de l'action de Périclès.

Quoi qu'il en soit, la référence au Ve siècle est obligatoire pour les Grecs « inventeurs » de la démocratie.

L'Empire byzantin : la dynastie macédonienne

Le second des mythes grecs est l'Empire byzantin, avec une préférence pour les empereurs macédoniens (867-1057).

L'Empire byzantin sortait affaibli de la crise de l'iconoclasme — crise des « images », c'est-à-dire des représentations matérielles du Christ, de la Vierge et des Saints — qui avait duré plus d'un siècle.

En 867, Basile le Macédonien prit le pouvoir et fonda une dynastie d'empereurs-soldats qui se succédèrent pendant près de deux siècles. Ils dirigèrent d'abord leurs efforts contre les Arabes, et les campagnes de Romain Ier Lecapène, de Nicéphore Phocas, de Jean Ier Tzimiscès permirent la reconquête de la Mésopotamie, de l'Arménie, de la Cilicie, de la Syrie. Cette lutte entraîna un rapprochement des empires d'Orient et d'Occident : Nicéphore Phocas rechercha l'alliance de l'empereur allemand Othon Ier le Grand et la princesse byzantine Théodora épousa Othon II.

Contre les Bulgares devenus chrétiens en 864, Basile II le Bulgaroctone — le « tueur de Bulgares » — remporta une victoire décisive sur la Stroumitza en 1014 : il renvoya au tsar Samuel quinze mille de ses soldats prisonniers qu'il avait fait aveugler, sauf un sur cent qui seulement éborgné servait de guide à ses camarades. Les Russes, d'abord hostiles, devinrent plus amicaux et le baptême du prince de Kiev Wladimir en 988, marqua l'entrée de la Russie dans la sphère spirituelle de Byzance. La rupture définitive avec Rome, marquée par l'excommunication du patriarche Michel Cerulaire par le pape en 1054, apporta un surcroît de prestige au patriarcat œucuménique vers lequel se tournaient désormais tous les fidèles de l'Orient. Puissance militaire partout victorieuse, l'Empire byzantin formait au début du XIe siècle un État centralisé, bien administré, dont la capitale était la première place commerciale de la Méditerranée.

En fait, les historiens de Byzance relèvent, dès cette époque, des facteurs de faiblesse. L'armée byzantine était une armée de mercenaires dont le moral n'était soutenu par aucun esprit particulier. Sur le plan social, le problème des riches et des pauvres se manifesta avec violence par des émeutes et des jacqueries. Après la mort de Basile II, la décadence de la dynastie fut rapide. Il n'empêche que cet Empire byzantin fournit aux Grecs modernes des satisfactions en leur rappelant les peuples et les territoires autrefois dominés.

La Grande Révolution grecque (1821-1830)

Elle constitue le troisième des mythes grecs au point qu'il n'y a pas longtemps encore, un certain nombre d'historiens de ce pays s'arrêtaient à ces dates, considérant que les époques plus récentes ne relevaient pas de leur discipline.

L'explication de la guerre de l'Indépendance, appelée volontiers « la Grande Révolution grecque » est simple. « La révolution de 1821 est le couronnement de l'indomptable résistance du peuple grec à la domination turque, résistance qui n'avait pas cessé depuis les premières années de servitude [...]. On comprend donc que les souffrances des Grecs furent la cause fondamentale qui les poussa au désespoir et leur donna l'ardent désir de se libérer en se soulevant » (1). Un large courant populaire donc, auquel vint s'ajouter l'action plus élitiste de l'Hétairie. Celle-ci née en 1814 à

(1) A. Vacalopoulos, *Histoire de la Grèce moderne*, p. 101.

Odessa où se trouvaient de nombreux marchands grecs, se tourna vers la Russie victorieuse de Napoléon. Elle confia la direction du mouvement au prince Alexandre Ypsilantis, aide de camp du tsar Alexandre, qui commença par une intervention dans les principautés danubiennes. Manœuvre qui échoua. Alors entra en scène le peuple du Peloponnèse qui chassa les Turcs des forteresses : le chef klephte Théodore Colocotronis s'empara de Tripolis, mais ne put aller plus loin. Les différentes régions de la Grèce essayèrent de se soulever, mais ne purent résister longtemps à la pression des Ottomans. Les Grecs, en « caravanes interminables et pitoyables » firent mouvement du Nord resté soumis au Sud libéré, tandis que le peuple turc se livrait à des massacres et des pillages à Constantinople et dans les grandes villes : tel celui du patriarche œcuménique Grégoire V. L'assemblée des insurgés, convoquée à Epidaure, vit s'affronter chefs militaires et politiciens et une guerre civile éclata, alors que le Sultan faisait appel à Ibrahim pacha, fils adoptif de Mehemet Ali, pacha d'Égypte, qui débarqua à Nauplie. La guerre des Klephtes — *Klephtopolemos* — se poursuivit cependant et fut marquée de succès, ainsi autour de l'acropole d'Athènes. Élu pour sept ans « gouverneur de l'État », Jean Capo d'Istria, ancien ministre des Affaires étrangères du tsar, essaya d'organiser le pays, mais fut assassiné en octobre 1831. Pendant ce temps, les Puissances de l'Europe, poussées par un fort mouvement des Philhellènes, recherchèrent une solution à la crise : une conférence de Londres (juillet 1827) décida de l'autonomie de la Grèce. L'intervention militaire de la Russie obligea les Ottomans à traiter et cinq mois après, un protocole européen du 3 février 1830 accordait l'indépendance à la Grèce.

Pareil récit laisse dans l'ombre l'action des Puissances qui fut décisive. Sans l'intervention de l'armée russe au lendemain de l'affaire de Navarin (octobre 1827) où la flotte anglo-franco-russe envoya par le fond la flotte turco-égyptienne, sans l'idéologie messianique du tsar Nicolas Ier, sans le philhellénisme du roi de France Charles X, la Grèce ne serait pas devenue indépendante en 1830.

2. Les Bulgares

La « Renaissance bulgare », c'est-à-dire la prise de conscience par ce peuple de sa nationalité se situe dans les années quarante du XIXe siècle, mais triomphe avec la reconnaissance d'une Église autocéphale par la Porte en 1860-1870 et par la guerre russo-turque de 1877-1878 qui aboutit à la création d'un État autonome. Depuis, les Bulgares ont réfléchi à leur histoire et ont développé trois mythes fondamentaux : celui du tsar Siméon (893-927), celui de la « guerre de libération » de 1877-1878 et celui de la Macédoine.

Le tsar Siméon (893-927)

« Ce fut un personnage de premier plan, un souverain qui porta la Bulgarie au comble de la puissance politique et militaire et à l'apogée de sa civilisation » (2). Ce jugement situe le tsar dans la lignée des princes qui de 681 à 1018 constituèrent le premier empire bulgare, de la création de l'État par Asparuch, jusqu'à la domination de Byzance. Il succédait à Boris-Michel qui s'était converti au christianisme dans une Église mise sur pied par les disciples de Cyrille et Méthode.

Siméon est présenté par les historiens bulgares comme le grand adversaire de Byzance qui vivait alors une période d'usurpation du pouvoir. Il avait dans sa jeunesse passé plusieurs années dans la capitale et connaissait le grec à la perfection. Mais « ce contact avec la civilisation byzantine ne contribua cependant nullement à le "dénationaliser" : tout en s'appropriant d'abondants éléments de la splendide civilisation de Byzance, la plus haute civilisation de l'époque, il resta fidèle à sa race et à sa peuple ». Son action lui permit d'écraser les Serbes et d'être ainsi « maître absolu de toute la péninsule des Balkans (3) ». Il projeta alors de devenir *basileus* des Bulgares et des Byzantins et réclama désormais ce titre. En 923, entouré de ses guerriers, il vint rencontrer Romain Lécapène devant les murailles de Byzance, mais les pourparlers échouèrent et la lutte reprit. Il mourut en mai 927 d'un *cordis morbo.*

Cette action politique fut complétée par une œuvre culturelle qui fit de son règne « l'âge d'or » de la littérature bulgare. Dès son avènement eut lieu une réforme de l'alphabet. Celui de Cyrille et Méthode était le glagolitique, qui rendait bien le parler slave, mais posait quelques problèmes de transcription. L'un de leurs disciples — peut-être Clément d'Ohrid — mit au point le cyrillique

(2) I. Dujčev, *Histoire de la Bulgarie*, p. 111-114.

(3) *Ibid.*, p. 125.

— *kirilica* — qui était plus clair, connut une vaste diffusion et élimina presque totalement le glagolitique: « Par son aspect extérieur, l'alphabet cyrillique reflétait davantage l'influence de l'écriture grecque » [4]. Quant à Clément d'Ohrid, il créa une École littéraire et avec son collaborateur Nahoum, forma une génération de lettrés, écrivains et prédicateurs en paléoslave — que l'on appelle le paléobulgare. Tous firent de nombreuses traductions essentiellement de textes religieux byzantins. Quant aux œuvres originales, elles sont signalées sans précision.

Tel qu'il est ainsi tracé, ce portrait de Siméon introduit les Bulgares d'aujourd'hui dans un monde très ancien où leur nom était respecté, leurs armées campaient devant Byzance et leur tsar était sur le point de monter sur le trône de Constantinople. Compensation pour les déboires du XXe siècle.

Les libérateurs russes et San Stefano (1878)

Les presque cinq siècles (1393-1878) de domination ottomane sont, pour les Bulgares, suivant le titre célèbre de leur écrivain Ivan Vazov, une période « sous le joug ». Soulèvements et jacqueries marquèrent l'époque dont les historiens du pays donnent des listes exhaustives. La dernière fut l'insurrection d'avril 1876 qui échoua après dix jours d'existence d'un pouvoir « révolutionnaire » à Panaguriŝte, dans le Balkan.

C'est durant la période de répression qui suivit que se situe la libération de la Bulgarie du joug ottoman. Les Bulgares réfugiés en Roumanie et en Russie racontèrent les massacres et incendies, œuvres de l'armée turque ; les journalistes étrangers qui avaient visité le pays décrivirent les atrocités commises. « On sut qu'on avait massacré des femmes et des enfants, tandis que les jeunes filles étaient vendues comme esclaves aux harems et notables turcs » [5]. L'émotion fut grande en Europe et laissa les mains libres à une initiative de la Russie. L'ambassadeur du tsar Ignatiev déclara à la Porte que la Bulgarie et la Bosnie-Herzégovine — révoltée depuis 1875 — devaient devenir autonomes, sinon Saint Petersbourg examinerait d'autres moyens pour résoudre ces problèmes.

(4) A. Vacalopoulos, *op. cit.*, p. 101.

(5) I. Dujčev, *op. cit.*, p. 305-315.

Les Puissances décidèrent alors d'une conférence à Constantinople. La Russie demanda une « autonomie complète » qui fut repoussée par les pays occidentaux : ils proposaient la formation de deux régions autonomes administrées par des gouverneurs généraux chrétiens assistés d'assemblées régionales élues. Mais le sultan proclama une constitution — la première constitution ottomane — les puissances se séparèrent. Une nouvelle conférence à Londres aboutit à la signature d'un « protocole » (31 mai 1877) qui exigeait une amélioration des conditions de la population chrétienne en Turquie. Istanbul rejeta ces résolutions et la Russie déclara la guerre à l'Empire ottoman. L'armée russe fut aussitôt renforcée par un corps de volontaires bulgares d'environ 7 500 hommes, tandis que derrière l'armée turque opéraient de nombreux détachements de partisans. La population bulgare participait ainsi à la lutte. La marche des colonnes russes fut victorieuse : Suleiman Pacha fut vaincu au défilé de Šipka défendu par cinq bataillons de volontaires bulgares et deux régiments russes, et Osman Pacha qui avait fortifié la place de Pleven dut capituler. La Turquie fut contrainte de traiter. Ce fut le traité de San Stefano sur la mer de Marmara (3 mars 1878). Il prévoyait la création d'un État bulgare autonome englobant les terres de la Dobrudja centrale et méridionale, la région de Pirot, la Mesie, la Macédoine et la Thrace à l'exclusion d'Andrinople, avec un débouché sur la mer Egée à Cavalla. « Le traité de San Stefano est un traité équitable, assurant le libre développement de presque tous les peuples balkaniques ». Cependant la Grande-Bretagne et l'Autriche-Hongrie s'y opposèrent : la Russie fut menacée de guerre et céda.

Un congrès fut convoqué à Berlin, auquel participèrent les Puissances et la Turquie : aucun représentant de la Bulgarie ne fut admis à ce congrès « fut-ce à titre d'observateur ». Bismarck s'était mis d'accord avec la Grande-Bretagne et l'Autriche-Hongrie pour rejeter le traité de San Stefano et « le remplacer par un nouveau traité dont les stipulations étaient en contradiction directe avec les intérêts des peuples balkaniques et la Russie ». La Bulgarie de San Stefano fut « déchiquetée », divisée en Principauté de Bulgarie au nord, Roumélie orientale au sud du Balkan. « Le traité de Berlin était injuste, parce qu'il morcelait la Bulgarie unifiée, œuvre du mouvement révolutionnaire bulgare et fruit du sang abondamment versé par les soldats russes. » En conclusion, « le peuple désigna, à bon droit, cette guerre du nom de Guerre de Libération, tandis que ses relations amicales séculaires avec le peuple russe se consolidaient encore davantage ».

Ainsi tout est dit : l'héroïsme des combattants volontaires bulgares, les intrigues européennes, l'appui massif de la Russie qui explique que la statue du tsar libérateur Alexandre II ait trôné — et trône encore — souvent fleurie sur la place principale de Sofia pendant la période socialiste. La paix de San Stefano reste la référence naturelle des patriotes bulgares.

LA MOBILISATION DE LA GRÈCE CONTRE LA MACÉDOINE YOUGOSLAVE

Plusieurs centaines de milliers de personnes se sont rassemblées, vendredi 14 février à Salonique, dans le nord de la Grèce, pour affirmer le caractère héllène de la Macédoine et pour protester contre l'« usurpation » du nom par la République yougoslave située au nord de la frontière.

La manifestation — la plus importante de mémoire de Salonicien ! — était organisée par la municipalité conservatrice de Salonique avec le soutien des trois grands partis : la Nouvelle Démocratie (conservateur, au pouvoir), le PASOK (socialiste) et la Coalition de gauche (gauche indépendante).

Dès le matin, des milliers de personnes se dirigeaient vers le centre de Salonique (800 000 habitants). Magasins, entreprises et écoles étaient fermés ; bus et taxis offraient gratuitement leurs services pour transporter les manifestants.

« Nous, les descendants d'Alexandre le Grand... »

Des centaines d'autocars ont amené des habitants de l'ensemble de la Macédoine. L'Église orthodoxe était aussi mobilisée. Vingt métropolites (évêques orthodoxes) de la région se sont rendus en cortège à la manifestation. Les cloches des églises battaient le rappel et des centaines de drapeaux aux couleurs bleue et blanche de la Grèce flottaient sur la ville. « *La Macédoine est, était et restera grecque* », se sont exclamés les orateurs. « *La Macédoine est ici, les Macédoniens, c'est nous* », a ajouté le maire de Salonique, M. Constantin Cosmopoulos, qui s'en est pris aux « *falsificateurs de Skopje* » (la capitale de la Macédoine yougoslave). Il a assuré également que « *La Grèce, paradis des droits de l'homme, était la seule garantie pour la stabilité, la paix et la coopération dans les Balkans* ». « *Nous, les Macédoniens, descendants d'Alexandre le Grand, nous n'acceptons pas les menaces* », a souligné, pour sa part, l'évêque de Salonique, Mgr Pantéleïmonas. Le grand rassemblement nationaliste s'est terminé sans aucun incident par une fête populaire bon enfant, avec des chants et des danses.

D'après *Le Monde*, 17 février 1992.

La question de Macédoine

Pour les Bulgares, la réponse est simple : les Slaves de Macédoine sont des Bulgares. Et d'appeler à l'appui de leur thèse les témoignages des voyageurs du XIXe siècle jusqu'à la Première Guerre mondiale.

Le point de départ de leurs historiens est en général le traité de Berlin de 1878, qui laissait à l'Empire ottoman la Macédoine, l'Épire, l'Albanie et une partie de la Thrace. Les régions où les luttes des peuples assujettis étaient les plus vives furent la Macédoine et la région d'Andrinople. On indique qu'en 1911, à la veille des guerres balkaniques, il y avait 1 373 écoles bulgares, dont treize lycées fréquentés par 78 854 élèves : signe assurément d'une forte emprise bulgare sur la région.

Trois propagandes nationales y déployaient leur activité : la grecque, la serbe et la roumaine. La propagande grecque y devint plus active à la fin du XIXe siècle: un comité fut créé à Athènes pour maintenir sous influence hellénique les populations bulgares et valaques qui restaient sous l'autorité du patriarche de Constantinople ; la majorité de ces populations ayant depuis 1860-1870 adhéré à l'Exarchat bulgare, « le comité organisa des bandes armées qui assaillaient et incendiaient les villages bulgares, tout en se gardant de tout affrontement direct avec les autorités turques. En dépit de ses efforts tenaces, la propagande grecque resta sans succès » [(6)]. Pour les Serbes, après leur défaite de 1885 contre la Bulgarie dans leur guerre au lendemain de l'union de la Principauté et de la Roumélie orientale, un vaste effort de propagande fut entrepris « en fonction de leurs visées de conquête »: des fonds furent débloqués, des cadres préparés, des livres imprimés. « Des écoles serbes étaient ouvertes avec l'assistance tacite des autorités turques et un évêque serbe était installé à Skopje en 1902. En même temps une organisation de troupes armées serbes entreprenait, par des actes de terrorisme envers la population bulgare, de la détacher de l'Exarchat et de la gagner à la cause serbe. Mais ces actes de violence se heurtèrent à la résistance des masses [(7)] ». La propagande roumaine n'était pas dirigée contre l'élément bulgare, elle

(6) I. DUJČEV, *op. cit.*, p. 368-375.

(7) *Ibid.*, p. 368-375.

visait à soustraire la population valaque à l'influence du Patriarche pour freiner son hellénisation.

C'est dans ce contexte que se développait le mouvement bulgare inspiré par les luttes de la Renaissance. En octobre 1893 se constitua à Salonique sous l'autorité de Damian Gruev une « Organisation révolutionnaire interne de Macédoine » (ORIM) qui réclamait l'application de l'article 23 du traité de Berlin : autonomie politique aux deux provinces de Macédoine et d'Andrinople. Ce programme fut appuyé essentiellement par les populations relevant de l'Exarchat, tandis qu'une autre organisation voyait le jour en Bulgarie.

En 1903, un congrès de l'ORIM à Salonique décida d'une insurrection qui éclata le 20 juillet 1903 pour le St Elie — *Ilinden*. Les insurgés s'emparèrent de la ville de Kruševo où fut proclamée une république. Les Turcs mobilisèrent 200 000 hommes : il y eut 239 combats auxquels participèrent 26 500 insurgés et cela aboutit à un échec. « Malgré tout, l'insurrection d'Ilinden a son importance historique, car elle témoigne de l'empressement des masses populaires à lutter, les armes à la main, contre les oppresseurs ».

Cette conclusion est suffisamment vague pour laisser la voie ouverte à toutes les possibilités dans l'avenir. Ce qui est la position dominante des Bulgares d'aujourd'hui.

3. Les Serbes

Les Serbes ont arraché leur indépendance aux Turcs par la révolte de Karageorge (1804-1813), puis par les négociations et les bakchichs de Miloš Obrenović (1815-1839) : à partir du décret du Sultan —Khatti-cherif — du 12 décembre 1830, le pays serbe devenait une principauté autonome et héréditaire à l'intérieur de l'Empire ottoman. Trois mythes constituent les points forts de l'histoire serbe.

Le tsar Dušan (1331-1355)

La Serbie médiévale a existé en tant qu'État de 1166-1167, lorsque Stevan Nemanja devint gouverneur — grand Župan — de Rascie jusqu'à la défaite du despote de Smeredevo devant les Ottomans en 1459. Le tsar Dušan (1331-1355) de la dynastie des

Némanides était l'arrière petit-fils d'Étienne, que l'on appelle dans l'histoire « le premier couronné ».

L'homme avait de l'allure et impressionna ses contemporains par son habileté et son sens du commandement. C'est contre l'Empire byzantin qu'il porta ses efforts : son objectif était de s'emparer de la capitale et de se faire proclamer Basileus. De là ses négociations compliquées avec la Bosnie, Raguse, la Hongrie et Venise. En 1345, il se rendit maître de la Macédoine et si Salonique put résister grâce à ses murailles, la forteresse d'Ohrid, les villes de Valona (Vlora), Berat et Serès tombèrent entre ses mains. Il y nomma des gouverneurs serbes. En 1346, il couronna son œuvre en élevant le métropolite de Peć à la dignité de patriarche, en dépit des protestations du Patriarche œcuménique et en se faisant couronner à Skopje le jour de Pâques 1346 « Basileus des Serbes et des Grecs ». À cette cérémonie, l'État des Bulgares était représenté par son propre patriarche et apparaissait comme une possession familiale de Dušan.

L'Empereur laissa à ses successeurs un Code de lois — *Zakonik* — (1349), dans lequel il faisait la synthèse des lois byzantines et des coutumes serbes. Par la suite, il occupa tout le nord de la Grèce jusqu'au golfe de Corinthe : seule échappait à sa domination le port de Durazzo (Dürres). Il prit lui-même le titre d'« Empereur et autocrate des Serbes et des Grecs, des Bulgares et des Albanais », tandis que ses alliés de Raguse et de Venise saluaient en lui « *l'Impérator Rasciae et Romaniae* ».

Mais, pour résister aux attaques de Dušan, le Basileus de Byzance avait fait appel aux Turcs ottomans de Brousse. En 1346, ils traversèrent les détroits et l'émir Orkhan obtint de Jean Cantacuzène qu'il lui donnât en mariage sa fille Théodora: une princesse byzantine entrait dans le harem du ghazi. Dušan se résolut à un ultime effort pour s'emparer de la ville. Il négocia avec Venise, avec le Pape, puis marcha sur Byzance : il fut alors saisi de fièvres et mourut à l'âge de quarante-six ans : on attribua son décès à un empoisonnement. Après lui, son empire se disloqua.

Il y a dans cette histoire tout ce qu'il faut pour séduire les Serbes : la prépondérance de leur « Empire » dans les Balkans par la menace que le tsar fit peser sur Byzance, l'abaissement de la Bulgarie réduite à un État vassal ; la fin elle-même est dramatique à souhait : l'empoisonnement à un moment où Dušan allait sans doute écraser le Byzantin et son allié le Turc.

La résistance aux Turcs

Les Ottomans ont vaincu les Serbes comme ils le firent des Grecs, des Bulgares, des Albanais : en 1389, le sultan Murad écrasa les troupes du prince Lazare à Kosovo *polje* — la plaine de Kosovo ; en 1459, Mahomet II, le conquérant de Constantinople, entra sans difficulté dans Smederevo, capitale de Georges Branković. Ainsi disparaissait pour trois siècles tout État des Serbes.

Ceux-ci ont fait de cette période une résistance continue à leurs oppresseurs. Déjà la bataille de Kosovo avait donné naissance à un cycle de chansons — les *pesme* — qui exaltaient le sacrifice des héros à leur « foi serbe », car la nation n'y existait pas et la patrie était le peuple qui se reconnaissait dans cette foi. Aucun Serbe n'ignore le nom de Marko Kralević et plus de soixante-dix *pesme* chantent le héros dont la popularité s'étend à tout le pays et au-delà. Partout, dans les Balkans, on rencontre tours et forteresses que la tradition rattache à un épisode de sa vie. Il est devenu le type du batailleur infatigable, d'une force surhumaine, coléreux, grand buveur, redresseur de torts, pitoyable aux faibles. Les chansons retiennent les bons tours joués par Marko aux Turcs, dont il supportait difficilement le joug. Son cheval Sarać parle et partage les coupes de vin de son maître. Lui-même a été allaité par une fée — une *vila* — ; dragons ailés et serpents volants sont ses aides ou ses adversaires. Par Marko, Roland des Balkans, le monde cruel de la domination ottomane s'ouvrait au merveilleux. D'autres chansons sont consacrées aux *hajduks*. Il s'agit en fait d'anciens soldats qui continuaient la guerre pour leur compte, de paysans chassés de leurs villages en ruines. La tradition en a fait des « résistants », attaquant les musulmans, soldats rarement, beys et cadis de l'administration, commerçants. Groupés en bandes pendant l'été, ils rentraient dans les villages durant l'hiver. Le *hajduk* qui est fait prisonnier par les Turcs va à son terrible supplice du pal en chantant. Ces chansons élaborées au fil des siècles ont été dites jusqu'à la Deuxième Guerre mondiale et donnaient aux Serbes l'impression d'un combat permanent.

CHANSON NATIONALISTE DE FILIP VIŠNJIĆ (VERS 1820)

Le commencement de la révolte contre les *dahis* [1].

« Au ciel, les saints commencèrent à guerroyer et à faire paraître des prodiges au-dessus de la Serbie. Voici le premier prodige qu'ils firent paraître : depuis le jour de la Saint-Tryphon jusqu'à la Saint-Georges, la lune, chaque nuit, s'éclipsait pour donner aux Serbes le signal de la révolte.

[Les *Dahis* de la citadelle de Belgrade décident alors d'assassiner les principaux chefs Serbes.]

« Écoutez, les faucons ! Vite, courez à Topola, tâchez d'y tuer Georges le Noir : si Georges maintenant nous échappe, sachez qu'il n'en adviendra rien de bon. »

Ils partirent pour le village de Topola, la veille du dimanche. Au point du jour, ils entourèrent la maison de Georges, ils se rangèrent des deux côtés, ils s'écrièrent : « Sors et viens ici, Georges Petrović ! »

Qui trompera un serpent ? Qui le surprendra dormant ? C'était la coutume de Georges de se lever toujours avant l'aube, de se laver et de prier Dieu, puis de boire un verre d'eau-de-vie. Georges était déjà levé et il était descendu au cellier. Voyant des Turcs autour de sa maison, il se garda de se montrer à eux. La jeune femme de Georges se présente : « Bonjour à vous, Turcs, que voulez-vous à cette heure ? Il n'y a qu'un moment que Georges était devant la maison. Où est-il allé, je ne sais. » Or, tout cela, Georges le voyait et l'entendait !

Aussitôt, Georges appela aux armes à Topola et du monde se rassemble autour de lui. On donna la chasse aux Turcs, on les poursuivit jusqu'au village de Sibnica et là, les Turcs s'enfermèrent dans un *han* [2]. Mais se défendre, comment l'auraient-ils pu ? Avec des hommes, Georges les a entourés, puis il appelle aux armes les gens de Sibnica, tous accourent.

De tous côtés, Georges expédia des lettres dans les dix-sept cantons, aux *kmetes*, chefs de village : « Tuez chacun votre fonctionnaire turc, dit-il, cachez dans les refuges les femmes et les enfants. »

Ce fut le début du premier soulèvement.

1. Chefs des janissaires qui s'étaient emparés du pouvoir dans le pachalik de Belgrade.
2. Auberge pour loger la nuit avec son cheval.

Karageorge (1804-1813)

Le héros de l'indépendance, Karageorge — Georges le Noir — a eu aussi son cycle de *pesme* et le personnage même était suffisamment haut en couleurs pour hanter les imaginations jusqu'à nos jours.

Fils d'un paysan pauvre de la Šumadja, il avait gardé les troupeaux dès son enfance et était totalement illettré. Il avait une vingtaine d'années quand sa famille, fuyant peut-être les exactions des janissaires, quitta le pachalik de Belgrade pour passer en Autriche où elle devint dépendante du monastère de Krušedol dans la Fruška Gora près de Neusatz (Novi Sad). Quand la guerre éclata entre Vienne et la Porte, en 1787, il s'engagea dans un corps franc serbe et combattit en Serbie occidentale : il y apprit l'art de la guerre dans la meilleure armée d'alors et devint sous-officier. Après la paix de Sistova, il rentra dans son pays et s'établit à Topola comme marchand de porcs. La tradition le montre alors parcourant sa région pour exciter contre les Turcs les incertains et les timides. En décembre 1803, le chef de la police — *muselim* — de Rudnik l'ayant convoqué, il se garda bien d'y répondre et des cavaliers turcs apparurent devant sa demeure pour le réclamer : « Il est allé chercher du raki [8], répondit sa femme, il va revenir. » Il revint en effet avec son « long fusil » et ses proches et les Turcs furent mis à mort. Le sort en était jeté. Le 8 février 1804, à Orašać, il réunit les chefs des villages de la Šumadja et fut nommé chef de la révolte. Le premier problème était celui des hommes, des soldats à mobiliser : quelque soixante mille dans le pays serbe, à raison d'un homme par feu. Pour le commandement, en mars 1804, après les premiers succès, une seconde réunion conféra à Karageorge le titre de « Conducteur suprême » — *Vrhovivod* — ce qui n'alla pas sans difficultés car il se révéla autoritaire et brutal et les jalousies furent actives.

Toujours est-il que la révolte se propagea vite. La mise à mort des Turcs rendit de vastes cantons des campagnes libres de toute administration ottomane. Quant à Belgrade, elle était tenue par les *dahi* — chefs d'une unité de janissaires — devenus maîtres d'une autorité de fait qui échappait au Sultan. Selim III chargea alors le populaire vizir de Bosnie d'aider les Serbes à chasser les *dahi* puisque c'était une des interprétations du soulèvement. Les *dahi* s'affolèrent et s'enfuirent vers Vidin, mais ils furent rattrapés et leurs têtes envoyées à Karageorge qui en fit présent au vizir de Bosnie.

La révolte était-elle terminée ? Certains Serbes le pensèrent, tandis que d'autres se tournèrent vers la Russie. Le prince Czarto-

(8) Alcool, le plus souvent de prunes.

ryski, ministre des Affaires étrangères du tsar, vit le profit à tirer de cette demande ; il donna audience à une délégation qui reçut cinq mille ducats-or et la promesse d'un appui diplomatique auprès de la Porte. Mais le Sultan désigna au printemps 1805, un nouveau gouverneur de Belgrade et l'envoya prendre son poste avec une armée. Pour la première fois, les Serbes eurent à faire face à l'armée régulière ottomane : le choc eut lieu à Ivankovo et les insurgés stoppèrent les soldats du Sultan : la ville de Smeredevo fut prise et devint la première capitale de la Serbie ressuscitée. L'année suivante — le 30 novembre 1806, la nuit de la Saint-André — Belgrade fut emportée de haute lutte et la plupart des Turcs massacrés. Tout le territoire du Pachalik se trouva libéré.

La Porte accepta alors de négocier. Petar Ičko, commerçant de Selim, fut envoyé à Istanbul et parvint à un accord sur la base de l'autonomie de la Serbie sous la tutelle du Sultan à qui elle verserait un tribut. Poussés par la Russie qui reprenait alors la lutte contre les Ottomans, les chefs serbes refusèrent : c'était la guerre jusqu'à la victoire complète. En juillet 1807, un envoyé du tsar, le colonel F.O. Paulucci vint en Serbie signer une convention qui aboutissait en fait à un protectorat russe dans tous les domaines. Mais au même moment, Napoléon et Alexandre se partageaient le monde à Tilsit et le tsar concluait un cessez-le-feu avec Istanbul : ce texte ne comportait aucune allusion aux Serbes.

À partir de ce moment existait une véritable opposition au gouvernement de Karageorge. Les Russes avaient envoyé un représentant permanent, Constantin Rodofinikin, d'origine grecque, qui pour accroître son influence, joua des Serbes les uns contre les autres. En 1809, Karageorge accepta de coordonner ses actions avec celles de l'armée du tsar. Une offensive serbe en direction de Niš échoua et Štefan Sindjelić, encerclé à Kamenica, se fit sauter avec ses compagnons. Pour se venger, les Ottomans firent avec les têtes des victimes la célèbre *Ćele Kula* (« Tour des crânes »), décrite par Lamartine et que l'on voit encore à côté de Niš. La route de Belgrade était libre pour les Ottomans. Karageorge fit alors appel à Napoléon, mais le capitaine Vučinić ne put remettre à l'Empereur la lettre qui lui était adressée : les Serbes n'étaient pour lui qu'un pion modeste sur l'échiquier européen.

Belgrade fut sauvée par une offensive russe en Moldavie, qui obligea le Sultan à rappeler ses troupes. En juin 1810, des contingents du tsar parvinrent à Oršova et des garnisons russes furent installées à Belgrade, Šabac et Deligrad. Mais Alexandre, sentant venir la rupture avec Napoléon, voulut avoir les mains libres du côté de la Porte. Le traité de Bucarest (mai 1812) consacrait son article 8 aux Serbes : ils devaient détruire les forteresses construites pendant la révolte et rétablir les garnisons ottomanes, moyennant quoi il obtiendraient une amnistie générale et l'autonomie interne avec le paiement d'un tribut. C'était un abandon. Il ne restait aux insurgés qu'à essayer de négocier avec Constantinople. Cela dura deux années, puis le Sultan lança trois armées contre la Serbie. Quand les Ottomans s'approchèrent de la capitale, un vent de panique souffla : Karageorge et les siens, accompagnés du métropolite et de l'envoyé russe, passèrent la Save à Semlin (Zemun) le 3 octobre 1813. Les Turcs entrèrent dans la ville à demi déserte et incendiée le 7 octobre et se livrèrent à de cruelles représailles. La révolte des Serbes se terminait par un échec total.

L'héroïsme de Karageorge et l'abandon de l'Europe forment le noyau de ce mythe historique toujours présent dans les mémoires.

4. Les Roumains

Les Roumains s'affirment comme un « peuple latin » qui a combattu les Ottomans avant d'être réduits par eux au niveau de peuple tributaire. Leur indépendance retrouvée au XIXe siècle leur a permis l'unité d'un État qui s'est constitué en 1918 en Grande Roumanie par la réunion de toutes les terres roumaines.

Décébale (106 après J.-C.)

Il est le Vercingétorix des Roumains, celui qui a essayé de résister aux légions de Rome, mais dont la défaite a marqué le début de la colonisation, la formation des Daco-Romains, d'où sont issus les Roumains.

Le chef dace Décébale (?-106 ap. J.-C.) se fit connaître par la victoire qu'il remporta sur le général romain Cornélius Fuscus en 87 après J.-C. À la suite de quoi un « État » unifié se constitua sous l'autorité du vainqueur de Fuscus, en fait une association de tribus dont Décébale devient le roi. Contre Rome, il fit alterner guerre et diplomatie jusqu'à l'avènement de Trajan qui était conscient de la nécessité de renforcer la frontière du Danube menacée par les Barbares et qui était aussi attiré par des régions riches en or. Au printemps de 101, il commença la conquête de la rive gauche du Danube : ce furent les guerres Daciques (102-106 ap. J.-C.). La première campagne fut conduite par l'Empereur lui-même à la tête d'une douzaine de légions. L'armée romaine franchit le fleuve sur deux ponts de bateaux et avança à travers le Banat. Une rencontre eut lieu sur la Bistra, mais ne fut pas décisive. On négocia. La paix fut conclue à l'automne 102 ; elle prévoyait le démantèlement des forteresses daces, la restitution des prisonniers et des étendards, l'établissement d'une garnison dans le pays de Hateg, surtout la renonciation de Décébale à toute politique indépendante dans le choix de ses alliances. De retour à Rome, Trajan reçut les honneurs du triomphe et le surnom de Dacicus.

L'arrêt des combats apparut aux deux parties comme provisoire. L'empereur romain fit construire par l'illustre architecte Apollodore de Damas un pont de pierre de 1 135 mètres de long à Drobeta, actuellement Turnu Severin, sur le Danube. Décébale, de son côté, restaurait ses forteresses et accueillait les soldats déserteurs des légions. Le Sénat de Rome déclara le roi dace « ennemi du peuple romain » et la guerre reprit durant l'été de 105. Trajan traversa le Danube sur le pont d'Apollodore et fit converger ses armées vers la capitale Sarmizegetusa. Les forteresses tombèrent les unes après les autres et la capitale soumise à un siège dut capituler. Décébale parvint à s'échapper mais, pour ne pas tomber entre les mains des Romains, se donna la mort (fin de l'été 105). Sa tête fut envoyée à Rome et les hauts faits de la campagne furent gravés sur la célèbre « Colonne trajane », placée sur le nouveau forum.

Pour 165 ans, la Dacie était liée à Rome. Trajan organisa dès le mois d'août 106 une « Province impériale de Dacie », qui couvrit la Transylvanie de l'Est et du Sud, le Banat et l'Olténie. La romanisation fut profonde. Les empereurs y pratiquèrent une colonisation importante : les inscriptions attestent la présence de mineurs de Dalmatie, de colons de Mésie, Pannonie, Thrace, mais aussi d'Italie, de Grèce, de Syrie, d'Asie Mineure. Comme en Gaule, la population autochtone assimila la culture, les mœurs et la langue des conquérants. La vie intellectuelle de la province s'appuyait sur le latin : sur plus de trois mille inscriptions trouvées, une trentaine seulement sont en grec. Les Daces étaient devenus des Daco-Romains.

Lorsqu'en 271-272, la province dut être abandonnée par Aurélien, cette population resta sur place et fut à l'origine des Roumains actuels. La romanité des Roumains est un des dogmes de l'histoire de ce peuple.

La période phanariote (1711-1821)

Il s'agit là d'un mythe négatif : une période de domination des familles grecques du Phanar, quartier de Constantinople.

Après un siècle d'existence, la Valachie en 1476, la Moldavie en 1538, devinrent vassales de l'Empire ottoman, c'est-à-dire acceptèrent de payer un tribut, de choisir un vojvode qui fût agréé par la Porte, de fournir au Sultan des troupes pour ses campagnes et du ravitaillement pour sa capitale. Les XVIe et XVIIe siècles virent une succession de princes — quinze en vingt ans de 1509 à 1529 en Valachie — qui, du moins, étaient des Roumains. Cela changea en 1711 quand le prince de Moldavie, Dimitrie Cantemir, s'allia à Pierre le Grand et fut obligé de se réfugier auprès de lui après sa défaite.

La Porte fit appel au fils du « grand traducteur » de Constantinople, Nicolas Mavrocordato qui, du trône de Moldavie, fut transféré sur celui de Valachie en 1715, après la mise à mort de Stefan Cantacuzène, accusé d'intrigues avec les Autrichiens. Il était clair que face aux dangers russe et autrichien, le Sultan ne considérait plus les chefs des Principautés que comme des gouverneurs de province nommés, déplacés et révoqués à sa volonté. La formalité de l'élection disparut et le vojvode, désormais appelé hospodar, fut désigné par la Porte à qui il achetait sa charge. Le choix se limitait en fait aux familles grecques ou grécisées du Phanar, où résidait le Patriarche œcuménique ; de 1711 à 1800, on compta dans les deux principautés 62 règnes, mais certains titulaires revinrent plusieurs fois, si bien qu'il n'y eut que 25 hospodars différents appartenant seulement à onze familles.

Le hospodar achetait très cher sa charge et devait y ajouter des cadeaux au grand vizir et autres dignitaires. Il payait le tribut qui varia pour la Modalvie entre 65 000 et 260 000 thalers, pour la Valachie de 260 000 à 300 000 thalers. Sans oublier les livraisons obligatoires de produits alimentaires pour Constantinople en général et le sérail en particulier. Ainsi, en 1783, il y eut en Valachie quatre réquisitions de blé à un prix très inférieur à celui du marché. En 1772, cette principauté avait payé à Istanbul quelque 650 000 thalers, somme énorme qui explique la lourdeur de la fiscalité et l'âpreté des princes préoccupés de se rembourser et d'y ajouter de fructueux bénéfices.

Pourtant, certains hospodars entreprirent de grandes réformes. Durant ses règnes successifs, Constantin Mavrocordato procéda à une réforme fiscale puis à l'abolition du servage en Valachie en 1746, en Moldavie en 1749, cinquante ans avant la Révolution française. Ce régime dura jusqu'au soulèvement de Tudor Vladimirescu en 1821.

Le jugement des historiens roumains est sévère : « Le régime phanariote a constitué une époque d'exploitation turque au plus haut degré et de nouvelles limitations de l'autonomie politique. Les princes sont dans leur grande majorité choisis par la Porte parmi les Grecs de l'Empire, très rarement parmi les boyards du pays, lesquels perdent le droit d'élire le vojvode. On interdit aux Pays roumains de mener une politique étrangère propre. La Porte dispose de plus en plus du territoire de la Moldavie et de la Valachie comme d'un territoire de l'Empire, en cédant, sans en avoir le droit, certaines parties de ce territoire, sans consulter les princes du pays. Le déclin de l'armée roumaine continue, réduite à des effectifs minimes, nécessaires seulement à l'administration du pays et au maintien du faste des cours princières. L'ingérence des Turcs dans les affaires intérieures, par des ordres du Sultan et de grands vizirs, connaît également des périodes de grande intensité. Le régime phanariote se caractérise aussi par l'aggravation de l'exploitation économique à laquelle les deux pays sont soumis par la Porte, par des prestations pécuniaires, par l'approvisionnement forcé à des prix fixés par la Porte, par des fournitures et parfois par le pillage direct. » [9]

Une période noire, donc, marquée par la domination d'étrangers et qui apparaît comme un prélude à la période — glorieuse, elle — des luttes nationales.

La Transylvanie

S'il est un mythe particulièrement fort, c'est celui du caractère roumain de la Transylvanie.

(9) G. Giurescu, *Histoire chronologique de la Roumanie*, p. 133.

Restés dans cette région après le départ des armées et des administrateurs de Rome, les Daco-Romains subirent les invasions et dominations des Gots, des Avars, des Slaves, des Bulgares.

Ils constituèrent de petites unités politiques qui sont mentionnées dans le récit de la conquête par les Hongrois. L'Anonyme des *Gesta Hungarorum* du XIe siècle décrit les luttes des Magyars contre des formations — des *vojvodats* — dont les Roumains en identifient trois comme étant de leur peuple. Au lendemain des invasions mongoles (1241-1243), le roi magyar dut reconstruire la Transylvanie : il y attira des colons allemands — les Saxons — pour défendre la frontière et leur accorda d'importants privilèges.

Les Roumains du pays « au-delà des forêts » (Transylvania) apparaissent rarement dans les textes. La féodalisation de la société les fit disparaître en tant que groupe politiquement organisé : leurs chefs traditionnels s'assimilèrent à la noblesse et par là se magyarisèrent. Tel ce Voicu, anobli en 1409 et recevant la forteresse de Hunedoara avec 25 villages autour : c'est l'origine de la famille Hunyadi-Hunedoara dont le fils de Voicu fut vojvode de Transylvanie et héros des guerres anti-ottomanes et dont le petit-fils Mathias, dit Corvin, fut roi de Hongrie de 1458 à 1490. Cette noblesse magyare ou magyarisée constitua la première des « nations » du pays, c'est-à-dire le groupe ayant dans l'État féodal la plénitude des droits politiques et juridiques. Appuyés sur leurs privilèges anciens, les Saxons et les Szeklers — peut-être une population turque d'origine — formèrent les deux autres nations. Par contre, les Roumains paysans-serfs n'avaient pas de statut politique propre. D'autant que l'organisation ecclésiastique féodalisée elle aussi les ignorait. Fidèles de l'Église d'Orient, ils ne s'intégraient pas dans la société féodale magyare : leurs évêques, souvent itinérants, relevaient depuis le XIVe siècle, du siège métropolitain d'Ungrovalachie de Tirgovişte et leurs prêtres étaient seulement tolérés, ne disposant d'aucun pouvoir d'administration.

Après la défaite des Hongrois devant les Ottomans à Mohacs (1526), la Transylvanie devint une principauté indépendante. Le Prince s'engageait à respecter les droits des « trois nations » et laissait les paysans roumains soumis à leurs seigneurs. Au lendemain du siège de Vienne (1683), les Habsbourg vainqueurs mirent la main sur la principauté et l'empereur Léopold Ier lui donna un nouveau statut, le « Diplôme de 1692 » qui réaffirmait les privilèges des trois nations.

SUPPLEX LIBELLUS VALACHORUM

Adressé à l'empereur François-Joseph par les chefs de la communauté roumaine de Transylvanie en 1791.

Résumé de l'histoire des Roumains qui justifie la demande faite à l'Empereur de reconnaître ceux-ci comme une « nation » de la Transylvanie à côté des Hongrois, des Szeklers et des Saxons.

« Est Nation Valachica omnium Transylvaniae huius aetatis Nationum longe antiquissima, cum a Romanis ipsam coloniis, per Imperatorem Traianum saeculum II inchoante in Daciam frequenter copiosissimo veteranorum militum numero as tutandum Provinciam deductis, propadinem suam habere, fide fistorica, traditiona nunquam interrupta, idionmatis et morum consuetudinumque similitudine sit certum probatumque.

Successores Traiani Augusti possedereunt Daciam aliquot saeculis, quorum permanente imperio fides etiam Christiana in hac Provincia iuxta Ecclesiaa Orientalis ritum, opera episcoporum Protogenis, Gaudentii, Nicetae et Theotini, saeculo praepimis IV propagata fuit, prout id ipsum Historia Ecclesiastica universa docet.

Interim im saeculo III coeperant barbarae gentes in opima hac Romani Imperii Provincia fortunam periclitari, successitque ipsis in nonnullis eius partibus firmas per aliquot tempus figere sedes, nunquam eo rem deducere potuerant, ut Romanorum ibi nomen aut imperium penitus exstinguerent ; certum enim est ipso etiam saeculo VI plures ibidem Romanis in Oriente Imperatoribus, as ripas praesertim Danubii, paruisse arces, interoires vero Provinciae partes tanto Romanorum incolarum numero abundabant, ut iam circa saeculum VII, excusso advernarum jugo, propriam exigerent Rempublicam.

Obtigit haec fortuna illi praecipue Daciae parti quae hodie Transylvaniae nomen obtinet, atque Romani eiusdem incolae, supresso aliarum gentium domino, propriis e sua Natione elctis Principibus usque ad Hungarorum adventum paruerunt.

Remansit deinceps dominii quod, inter reliquos sibio in eo succedentes alienos populos, Slavicar quoque gentes quaedam super Romanos Daciae incolas exercuere, vestigium illud hodiedum perdurans, quod nomenclatura *Vlachi* seu *Valachi*, quae Slavicis populis, testante Lucio Dalmata et Cromero Polono, quemvis *Romanum*, *Italum* aut *Latinum* denotabat, ipsis duntaxta Daciam incolentibus Romanis posterioribus temporibus adhaeserit.

Dum Hungari ad finem saeculi IX sub Duce *Tuhutum* Transylvanas partes invaserunt Romani earundem incolae, mutato nomine, *Vlachi* appellabantur, testante antiquissimo Hungariae scriptores Anonymo Belae Regis Notario : proprius tunc temporis ipsis praeerat Dux *Gelou* suprema cum potestane, in pugna teman quam pro tutanda Patria cum Hungaris inivit infelix, sum in illa dominatum et vitam amiserit.

Dans le cadre de sa politique de Contre-Réforme, Léopold Ier voulut soumettre à l'autorité du pape les fidèles de l'Église d'Orient. Les Jésuites menèrent les discussions avec le métropolite roumain de Karlsburg (Alba Julia) et aboutirent à l'union avec Rome : en octobre 1688, le métropolite Atanase Anghel et 38 archiprêtres firent acte de soumission au pontife romain. L'Église uniate de Transylvanie était née, fondée sur sa liturgie traditionnelle en slavon et son organisation ecclésiastique particulière (mariage des prêtres, recrutement des évêques parmi les moines). Les laïcs passés à l'Union recevaient l'égalité des droits, avec leurs homologues des trois nations. Cela permit la constitution d'une petite élite roumaine qui trouva son premier porte-parole dans l'évêque uniate Inocentie Micu-Klein qui occupa le siège de Fogaras de 1724 à 1744. Pendant quinze ans, il multiplia les mémoires à la diète transylvaine et à la cour de Vienne, pour renforcer l'Uniatisme mais aussi pour obtenir que les Roumains participent à la vie publique à l'égal des autres « nations ». Pour appuyer ses demandes, il invoquait l'ancienneté de leur établissement depuis l'époque de Trajan. En vain. La Diète s'opposa à toute velléité d'organisation d'une « quatrième nation » et en 1751, l'évêque fut obligé de renoncer à son siège épiscopal. Il mourut en exil en Italie.

Il fallut attendre Joseph II et son édit de 1781 pour qu'une véritable tolérance s'établisse qui se traduisit d'ailleurs par le retour de beaucoup de Roumains uniates à leur Église traditionnelle. Ce même Joseph II abolit le servage en Transylvanie par une patente de septembre 1785 : désormais, les paysans avaient la possibilité de changer de domicile, de se marier sans le consentement du seigneur et ne pouvaient être chassés de leur terre sans un juste motif.

Son successeur, Léopold II, ennemi déclaré de la Révolution française, convoqua en Transylvanie une diète dominée par les nobles. En prévision de cette réunion, des intellectuels roumains rédigèrent un mémoire résumant leurs revendications : ce fut le *Supplex libellus Valachorum* (1791). S'appuyant sur l'antiquité de leur nation remontant à Trajan, ils réclamaient pour elle l'égalité des droits civils et politiques et la possibilité d'élire des représentants en proportion de leur nombre. Remis à l'empereur, le mémoire fut renvoyé par Vienne à la diète de Klausenburg (Cluj) qui le rejeta avec indignation. Le *Supplex* n'en resta pas moins le premier programme national des Roumains d'une Transylvanie où ils constituaient près de 60 % de la population.

Au XIXe siècle, influencés par les idées de la Révolution française, ils participèrent au mouvement des nationalités de l'Autriche : lors des troubles révolutionnaires de 1848, à la réunion de Blaj, ils demandèrent formellement l'organisation d'une « nation roumaine » avec des élus à la Diète et l'usage de la langue. La diète de Budapest refusa et les Roumains levèrent les légions d'Avram Iancu pour lutter contre Kossuth. Le compromis austro-hongrois de 1867 les sacrifia à l'alliance avec Budapest : désormais les Roumains de Transylvanie dépendaient de la diète et de l'administration hongroises. En réaction s'organisa dès 1869 un « Parti national » dont les Roumains soulignent volontiers les attirances et les liaisons avec le Royaume. La réunion d'Alba Julia du 1er décembre 1918 proclamant l'Union à la Roumanie leur apparaît le couronnement naturel d'une évolution séculaire. Quant aux Hongrois de Transylvanie, ils sont minoritaires.

5. Les Albanais

Des mythes possibles de leur histoire, les Albanais en ont retenu un : celui d'un féodal, chef de guerre contre les Turcs, Skanderbeg (1443-1468).

Georges Kastriote dit Skanderbeg

Dès les dernières années du XIVe siècle, les Ottomans pénétrèrent en pays albanais et y établirent des garnisons, mais elles furent massacrées pendant la période d'interrègne qui suivit la défaite de 1402 du sultan Bajazet — Bayezid I — contre les Mongols de Tamerlan. Son successeur, Mahomet — Mehmet I — rétablit les troupes à Kruja et à Valona pour surveiller la frontière de Bosnie.

Les féodaux de la région étaient passablement remuants et le sultan, pour s'assurer de leur soumission, leur avait ordonné de lui envoyer un fils en otage. Parmi eux, Jean Kastriote, originaire de la montagne, avait obtenu un fief dans la région côtière. De ces quatre fils, ce fut le benjamin, Georges, qui fut expédié à Edirne où il reçut une éducation musulmane à l'école des pages du Palais et devint ainsi Alexandre — en turc Skander. Il revint dans sa région d'origine en 1438 avec le titre de bey et la charge d'administrateur — *vali*. Mais en novembre 1443, lorsque l'armée hongroise de Jean Hunyadi s'empara de Niš, Skanderbeg abandonna l'armée ottomane et, à la tête d'une petite troupe de cavaliers, s'empara, grâce à un faux firman, de la citadelle de Kruja le

28 novembre. Ce fut le début d'une résistance qui dura jusqu'à sa mort, vingt-cinq ans plus tard, en janvier 1468.

Le révolté s'efforça d'abord de réunir autour de lui les féodaux albanais. Il les convoqua à Alessio (Lezha) et constitua une ligue avec une armée et un trésor communs. Mais cette ligue était instable, contestée par d'autres seigneurs de la région, les uns préférant traiter avec le sultan, les autres s'allier à Venise. Skanderbeg fit appel aux Hongrois puis à Alphonse d'Aragon, roi de Naples, avec lequel il signa un accord d'alliance à Gaëte en 1451. Après la prise de Constantinople (1453), le Kastriote fit le voyage de Naples : il obtint deux mille fantassins et des canons aragonais qui vinrent renforcer l'armée de la ligue. Mais une attaque contre la forteresse ottomane de Berat échoua, entraînant des défections dans la propre famille de Skanderbeg.

Le pape Pie II voulut utiliser celui qu'il qualifiait d'« athlète du Christ » pour relancer la Croisade ; Venise venait de déclarer la guerre aux Ottomans et Skanderbeg accepta de reprendre les opérations. Mais la mort du Pape en 1464 mit un terme aux projets d'action commune. Pratiquement seul, le Kastriote tint quatre années encore, en dépit des attaques répétées menées par les meilleurs hommes de guerre ottomans, en particulier par le sultan Mahomet II qui, par trois fois, mit le siège devant Kruja. En plein combat, il fut terrassé par une attaque de fièvre et mourut à Alessio en janvier 1468. Il fallut dix années encore pour que les Ottomans se rendissent maîtres des forteresses du pays.

Les historiens albanais ont tendance à transformer en épopée cette aventure singulière. Ils insistent en particulier sur les liaisons que Skanderbeg sut établir avec les monarques de son temps : le Pape, Alphonse V de Naples, le roi Ladislas V de Hongrie, le doge de Venise. Quant à son rôle de dirigeant militaire, « il n'est pas exagéré de le ranger parmi les tous premiers stratèges de son siècle ». Mais il est aussi un homme politique : « L'État albanais forgé par Skanderbeg, bien que le processus de l'union demeurât inachevé, n'était pas une simple union territoriale, mais une union politique où le pouvoir central se consolida sans cesse aux dépens du particularisme féodal. » En conclusion « Nulle appréciation n'a mieux résisté à l'épreuve du temps que celle affirmant que Georges Kastriote Skanderbeg a bien mérité le titre de "héros national des Albanais" que lui ont reconnu les générations postérieures. » [10]

(10) St. Pollo, A. Puto, *Histoire de l'Albanie*, p. 101.

Source : D'après Louis GENET, *l'Époque contemporaine,* Hatier, p. 47.

Chapitre 3

— Nations et nationalités —

Le passage du groupe ethnolinguistique à la nation ou à la nationalité s'est effectué dans les Balkans à partir de la seconde moitié du XVIIIe siècle. Il a abouti à une *nation* lorsque le groupe a pu constituer un État, il s'est arrêté à une *nationalité* dans le cas contraire.

1. *Aufklärung* et Révolution française

Capitalisme et *Aufklärung*

Un certain capitalisme avait toujours existé et, sous les sultans comme déjà sous les empereurs byzantins, on avait connu de riches marchands grecs, arméniens, juifs, qui étaient volontiers passés des échanges commerciaux aux opérations financières. Ces individualités jusque-là rares et concentrées surtout à Istanbul, commencèrent, au XVIIIe siècle, à se multiplier et à constituer à travers tout l'Empire — et au-delà — des réseaux de circulation des capitaux.

Dans les Balkans, ils profitèrent de la longue accalmie sur le Danube qui suivit la paix de Belgrade (1739). Vienne devint alors une des grandes bases du commerce avec l'Empire ottoman et dans le « quartier grec », derrière la cathédrale St-Étienne, on trouvait des commerçants grecs, mais aussi valaques et serbes. En Méditerranée, l'amélioration de la sécurité de la navigation permit aux compagnies anglaises, françaises, hollandaises, de rejoindre celles des Républiques italiennes pour exploiter les riches « Échelles du Levant », les ports de Constantinople, Smyrne, Salonique, Alep, Beyrouth, Alexandrie, les îles de l'Archipel. Ce commerce était en permanent déséquilibre au détriment de l'Empire ottoman et prenait un caractère dénoncé plus tard comme « semi-colonial ».

C'est parmi ces commerçants chrétiens que l'on vit apparaître et se développer les premiers capitalistes : des gens qui pensaient que l'argent peut produire de l'argent.

Certains puisèrent dans les *Lumières* — l'*Aufklärung* des Allemands — des idées nouvelles pour leurs compatriotes soumis à la domination ottomane. Dans la Vienne de Marie-Thérèse, ils avaient pu observer l'organisation scolaire mise sur pied et prévoyant des écoles primaires et des écoles supérieures. Sous Joseph II, ils furent les témoins de grandes réformes : abolition du servage et des corvées, égalité religieuse, établissement d'un cadastre, qui toutes approfondissaient le fossé entre un État moderne, « policé » et le « système ottoman ». Leurs compatriotes de Munich, Leipzig, Amsterdam ou Marseille furent témoins de transformations semblables. Dans ces villes se fit une lente alchimie qui transforma ces marchands voués à l'argent en « bourgeois » assoiffés de considération sociale et, tel Monsieur Jourdain, leur précurseur du temps de Louis XIV, désireux de s'instruire.

Ils voulurent en faire profiter leurs compatriotes placés « sous le joug » des Ottomans et subventionnèrent l'ouverture et l'entretien d'écoles dans leurs villes et villages d'origine, en particulier dans les îles grecques, mais aussi en pays bulgares. De leur côté, les princes phanariotes et quelques riches roumains commencèrent à envoyer leurs fils ou leurs protégés dans les écoles supérieures ou universités de l'Europe centrale et occidentale : ainsi pénétrèrent non seulement les idées, mais aussi les modèles de vie de Vienne ou de Paris. Dans la capitale des Habsbourg, des sujets du Sultan firent également connaissance de la presse et en comprirent l'intérêt : c'est à Vienne en 1790 que parut le premier journal grec suivi en 1791 par le premier journal serbe. À la même époque, l'université de Buda se substitua à Venise pour imprimer les textes en caractères cyrilliques, ce qui aida à la propagation des idées nouvelles.

La Révolution française

Le message de « Liberté, égalité, fraternité » a pénétré le monde des Balkans dans le sillage du capitalisme et des Lumières. Mais si l'écho en fut perçu par tous les peuples, ce fut à des degrés divers suivant la position géographique, le développement social et culturel de chacun d'eux. D'où un décalage temporel qui fait résonner le message révolutionnaire tout au long du XIXe siècle.

Par sa diaspora, le peuple grec se trouva au contact direct ou indirect avec la Révolution française. Deux écrivains s'en firent les apôtres : Rhigas Velestinlis (1757-1798) et Adamantios Koraïs (1748-1833). Rhigas était né en Thessalie, mais devenu secrétaire du hospodar de Valachie, il baigna dans ce milieu phanariote des principautés et y découvrit Voltaire, Rousseau et Montesquieu. Il s'enthousiasma pour la Révolution et écrivit son hymne « *Thourios* » dont le souffle évoque quelque peu la *Marseillaise*. Par la suite, il s'établit à Vienne et partagea les rêves de certains cercles helléniques de soulèvement des peuples chrétiens des Balkans en y introduisant les principes de la *Déclaration des droits de l'homme*. Il rallia à son projet des étudiants et des marchands grecs et se rendit à Trieste pour rentrer dans son pays. Surveillé par la police autrichienne, il y fut arrêté, puis comme sujet du sultan fut livré au pacha de Belgrade qui le fit exécuter en juin 1798. Le souvenir de son martyre fut vivace et ses poèmes enflammèrent les combattants de 1821 : le *Thourios* devint une sorte d'hymne national grec.

Koraïs, né à Smyrne, vint étudier la médecine à Montpellier avant de se fixer à Paris à la veille de la Révolution et d'y demeurer jusqu'à sa mort en 1833. Témoin direct des grands événements de 1789, il désira arracher ses compatriotes à la servitude. En 1798, mettant ses espoirs dans Bonaparte qui entreprenait l'expédition d'Égypte, il publia un pamphlet daté de « l'an I de la Liberté » qui appelait les Grecs à la révolte. Sa correspondance contribua grandement à faire connaître la Révolution française dans les pays grecs.

Dans les principautés danubiennes, les philosophes français étaient à la mode. Les Russes, présents à Bucarest, y publièrent en 1790, en français, un journal, *Le Courrier de Moldavie* qui reflétait souvent les positions des révolutionnaires modérés de France. Le grand boyard valaque Jean Cantacuzène s'inspira alors des idées françaises et de la pratique politique anglaise pour élaborer son projet de « République aristo-démocratique ». En 1796, le Directoire envoya dans la capitale de Valachie, un consul avec comme mission de faire connaître les grands principes de 1789. Napoléon s'intéressa également aux Principautés pour des raisons stratégiques ; il y fit faire une mission d'information par le capitaine Aubert qui en rapporta ses *Notions statistiques sur la Moldavie et la Valachie* ; en octobre 1807, des boyards moldaves adressèrent à l'Empereur français un mémoire pour l'abolition du régime phanariote et la création d'une république indépendante. Le modèle de la « Grande Nation » s'imposa aux Roumains de la génération suivante.

Les Serbes avaient essayé d'entrer en contact avec Napoléon : en octobre 1809, Karageorge lui avait envoyé deux lettres restées célèbres dans l'historiographie. L'on sait que l'Empereur ne les a jamais lues. Mais par la suite, le message français fut repris par le mouvement de l'Illyrisme qui s'épanouit dans les années quarante du XIXe siècle. Les Bulgares y ont puisé le mouvement libéral issu des principes de 1789. Georges Rakovski (1821-1867), un de leurs premiers leaders, avait passé un an à Marseille dans la France de Louis-Philippe, le « roi des barricades ». Ljuben Karavelov (1837-1897) se faisait l'apôtre d'une république et publia un journal, *Liberté*, qui s'inscrivait dans la ligne de la pensée de Prévost-Paradol. Vassil Levski (1837-1873) rêvait de créer une « République démocratique » et Christo Botev (1848-1876), le premier socialiste utopique était un admirateur enthousiaste de la Commune de Paris.

Les Albanais eux aussi participèrent à « l'héritage », sous la version des Carbonari et de Garibaldi pour les écrivains albanais d'Italie, tandis qu'à Istanbul, Sami Frashëri (1850-1905) disait, dans son *Dictionnaire des Sciences*, son admiration pour Voltaire et Rousseau. Dans son journal *Drita* — La lumière — il parlait souvent du rôle de la France révolutionnaire et en 1872, il publia une *Brève histoire de France* dans laquelle il soulignait l'importance des événements de 1789-1790 pour l'humanité entière et saluait le sacrifice des volontaires de l'an II.

2. La *Megale Idea* des Grecs

La *Megale Idea* — la Grande Idée — c'est-à-dire celle de la réunion de tous les territoires grecs, fut le thème porteur de ce qui devint le nationalisme des Grecs.

Solidarité chrétienne et nationalisme grec

Lorsqu'en septembre 1814, trois marchands grecs fondèrent à Odessa une Société des Amis — *Philiki Hetaïria* — ils se situèrent dans la ligne traditionnelle de la politique russe ; il s'agissait de provoquer une révolte générale des chrétiens des Balkans, ce qui entraînerait une intervention des armées du Tsar. En 1818, la Société établit son centre à Istanbul et s'organisa. Elle divisa la Péninsule en douze régions confiées à des « apôtres », constituant un réseau qui s'appuyait sur les consuls de Russie, presque tous grecs. Elle recruta des personnalités : Karageorge en exil à Odessa, Alexandre Ypsilanti, fils du hospodar de Valachie, T. Kolokotronis, chef klephte du Peloponnèse, Germanos, évêque métropolite de Patras. Les marchands dominaient, ils formaient plus de la moitié des membres et leurs déplacements professionnels permettaient la diffusion des idées et des mots d'ordre.

Le plan d'action initial prévoyait le soulèvement de la Serbie qui vivait très mal l'échec du premier soulèvement, puis la révolte des pays grecs. En Serbie, le prince Miloš Obrenović au pouvoir refusa tout net ; lorsque Karageorge entra dans le pays en juin 1817, il le fit assassiner et envoya sa tête à Istanbul. L'*Hetaïria* se replia sur les Principautés danubiennes : les hospodars phanariotes regardaient volontiers vers St-Petersbourg et les adeptes de la Société y étaient nombreux ; Alexandre Ypsilanti (1792-1828), ami personnel du Tsar, s'allia à un leader de Valachie, Tudor Vladimirescu (1780-1821) qui lui amena des paysans révoltés contre les « mauvais boyards » : tandis que l'armée d'Ypsilanti, partie d'Odessa, envahirait la Moldavie, Vladimirescu venant d'Olténie, s'emparerait de Bucarest où se ferait la jonction. Entre les hataïristes et les paysans roumains, les choses se passèrent mal : accusé de trahison, Vladimirescu fut mis à mort en mai 1827 et l'armée d'Ypsilanti battue le mois suivant. Son chef passa en Autriche où il fut emprisonné. En juillet 1821, le mouvement était étouffé.

La révolte éclata cependant à Patras au début d'avril 1821. À partir de ce moment, il s'agissait essentiellement d'une guerre entre Grecs et Turcs. Les puissances qui intervinrent se mirent d'accord sur la création d'un État chrétien qui vit le jour en février 1830 par le traité de Londres. Or ce Royaume de Grèce ne comptait que 50 000 km^2 : le Péloponnèse, le nord du Golfe de Corinthe, les îles Eubée et les Cyclades et quelques 800 000 habitants. C'était loin de représenter toute l'Hellade : l'on estimait à deux fois plus les Grecs vivant dans les provinces ottomanes des Balkans ou d'Asie Mineure. La plus grande ville grecque restait Istanbul avec plus de cent mille Hellènes, suivi par Andrinople.

On a parlé de la Grèce de 1830 comme d'un « État-croupion » incapable de devenir le pôle d'attraction rêvé par les patriotes. Pour les phanariotes de la diaspora, il n'avait pas de quoi séduire les commerçants habitués à la vie et à la culture occidentales. Les Grecs d'Istanbul voyaient en lui le responsable de la perte de leurs positions économiques ou sociales, voire des tensions quotidiennes, séquelles des émeutes anti-grecques de 1821-1822. Au niveau même des paysans, on assista durant quelques années à une émigration vers les régions voisines de Thessalie et de Macédoine épargnées par la guerre : en 1850 encore, un voyageur notait que les villages grecs de Turquie étaient plus prospères et plus grands que ceux de la Grèce.

C'est l'ensemble des déceptions et des refoulements du patriotisme grec qui donna naissance à la « Grande Idée » — *Megale Idea.*

Les avatars de la *Megale Idea*

L'idée de la réunion à la Grèce indépendante de tous les territoires « grecs » se manifesta dès le début du règne d'Othon, en 1833. Les partis politiques essayaient alors de s'organiser sous la protection des ambassadeurs des Puissances et s'intitulaient eux-mêmes « parti russe », « français » ou « anglais ». Aux rivalités de leurs chefs, ils ajoutaient une orientation de politique extérieure : chaque puissance tutélaire était représentée comme la meilleure pour aider à la réalisation de la Grande Idée.

Devenu le chef du premier gouvernement issu de la Constitution de 1844, Jean Kolettis (1788-1847), jusque là chef du « Parti français », formula de façon précise le programme de la *Megale Idea.* Il s'agissait de réunir la Thessalie, l'Épire, la Macédoine, la Thrace, les Iles Ioniennes, la Crète, la Roumélie jusqu'au Balkan, la côte occidentale de l'Anatolie et les îles adjacentes. C'était là non seulement les territoires ethniquement grecs mais tous ceux où la civilisation grecque avait dominé pendant l'Antiquité ou l'Empire byzantin. En fait, Guizot, son protecteur, ne tenait pas à déstabiliser les Balkans et Kolettis se contenta de manifestations verbales. La révolution de 1848 en France et en Europe encouragea les adhérents du Parti français ; ils désiraient une république qui aurait libéré les territoires encore asservis et aurait occupé Constantinople « symbole des vœux de la nation ». La guerre de Crimée

(1853-1856) ranima l'espoir de voir se réaliser la *Megale Idea* : tous les Grecs se prononcèrent pour la Russie, mais l'Angleterre et la France obligèrent le roi à déclarer sa neutralité.

L'expulsion d'Othon (1862) et son remplacement par Georges Ier (1863-1913) fut l'occasion d'un cadeau de l'Angleterre : elle rendit à la Grèce les Iles Ioniennes occupées depuis 1815, soit 2 000 km^2 et 200000 habitants. Accueilli avec enthousiasme par les îliens, le roi laissa prendre deux mesures discutables : la soumission administrative de l'Église des Iles qui relevaient du Patriarcat œcuménique, à l'archevêché autocéphale d'Athènes, la suppression de l'Académie ionienne, établissement supérieur qui avait rendu de grands services. La réalisation de la Grande Idée postulait pour ses partisans une hellénisation radicale.

À partir de 1866, la révolution de la Crète en fut une nouvelle manifestation : l'*Enosis* — l'Union à la Grèce — devint une des demandes des patriotes. Le congrès de Berlin (1878) permit aux Grecs de se faire entendre devant l'aréopage européen qui leur promit une rectification de frontières en Thessalie et en Épire. Il fallut trois années d'âpres négociations avec Istanbul pour qu'en mai 1881 soient attribuées la totalité de la Thessalie et une partie de l'Épire —13 400 km^2 et près de 800 000 habitants. En 1897, les patriotes crétois proclamèrent une nouvelle fois l'*Enosis* et à Athènes, des officiers créèrent une « Société nationale » pour envoyer en Crète des hommes et des armes. La guerre éclata entre la Grèce et l'Empire ottoman que l'intervention des Puissances stoppa au bout de quelques mois ; la venue au pouvoir, en Crète, d'Eleftherios Venizelos (1864-1936) permit finalement de réaliser l'*Enosis* en octobre 1908.

La création d'une Bulgarie indépendante (1878) aviva les craintes des patriotes grecs pour la Macédoine. Une nouvelle *Philiki Hetaïria* avait été mise sur pied par des Grecs d'Ohrid et de Monastir pour organiser un soulèvement anti-turc en profitant de la révolte de la Crète. De leur côté, les patriotes macédoniens de l'ORIM (Organisation révolutionnaire intérieure de Macédoine) et ceux de l'organisation bulgare commencèrent une guérilla qui tourna à la lutte entre chrétiens de la région. Après un bref arrêt lors du coup d'État des « Jeunes Turcs » (juillet 1908), la lutte reprit : irréguliers grecs *(Andartes)* contre irréguliers bulgares *(Comitadji)*.

En octobre 1910, Venizelos fut appelé à Athènes pour prendre la direction du gouvernement ; il se rapprocha de Sofia et de Belgrade et les guerres Balkaniques de 1912-1913 virent le triomphe de la Grande Idée : la Grèce reçut toute la Macédoine au sud du lac d'Ohrid, l'Épire, la côte avec Thessalonique et Kavala, soit 16 000 km² et 1 700 000 habitants. En dépit de son attitude ambiguë pendant la Grande Guerre et grâce à Venizelos, elle acquit, au traité de Neuilly (1919), la Thrace occidentale enlevée à la Bulgarie et à Sèvres (1920), contre la Turquie, la région autour d'Izmir (Smyrne). La *Megale Idea* était sur le point d'être achevée et pour Venizelos, c'était le début de la restauration de l'Empire byzantin. La défaite de septembre 1922 devant Mustapha Kemal devait marquer l'abandon de la Grande Idée.

3. Illyrisme et yougoslavisme

Les Slaves du Sud, Yougoslaves — de *jug* (sud) — avaient été séparés par l'Histoire. Envahisseurs, aux VIe-VIIe siècles, des Balkans et de la plaine de Pannonie jusqu'aux Alpes, les Bulgares, Serbes, Croates, Slovènes, s'étaient convertis au christianisme au IXe siècle et avaient vécu depuis, les deux premiers dans le giron de l'Église de Rome. Par la suite, Bulgares et Serbes avaient formé des royaumes ou empires indépendants qui tinrent tête à l'Empire byzantin puis furent conquis par les Ottomans : les Bulgares en 1393, les Serbes en 1459. Les Slovènes, de leur côté, furent soumis depuis Charlemagne aux empires germaniques successifs et les Croates entrèrent en 1102 dans la couronne de Hongrie : les Slovènes ne disposèrent ainsi jamais d'un État, les Croates partagèrent pendant huit siècles le sort des Hongrois. Le résultat fut que Serbes et Bulgares vécurent dans l'Empire ottoman trois siècles et demi à quatre siècles, avec toutes les conséquences sociales et culturelles d'un tel statut, tandis que les Slovènes et Croates subissaient les influences de Vienne et de Budapest.

L'Illyrisme et le *Načertanje*

À partir de la fin du XVIIIe siècle, sous l'influence de l'*Aufklärung*, de la Révolution française puis de Herder et du romantisme allemand, on assista en Europe centrale à une prise de conscience des identités nationales. L'étude des langues était à l'ordre du jour et sous l'influence des « éveilleurs » tchèques Šafarik et Kollar, certains intellectuels s'intéressèrent à la communauté linguistique des « Yougoslaves » ; le Croate Ljudevit

Gaj (1807-1872) se fit l'apôtre d'un mouvement qu'en référence au précédent napoléonien, il appela l'Illyrisme ; il s'agissait de regrouper tous les Slaves du Sud autour d'une langue, le štokavien [1]. Pour cela, il publia en 1830 ses *Principes d'orthographe krvato-slavon*, puis un journal, les *Nouvelles Croates*, devenues par la suite les *Nouvelles populaires Illyriennes*. Le mouvement disparut après la révolution de 1848 qui vit en Vojvodine une union des Croates et des Serbes mais dont l'échec amena une politique de germanisation du ministre Bach.

L'idée fut reprise par l'évêque Josip Štrossmajer (1815-1905). Nommé en 1849 évêque de Djakovo en Slavonie, il fut dès sa jeunesse un espoir des patriotes qu'il représenta dans les assemblées de la Monarchie. En 1861, désigné par François-Joseph pour siéger au Conseil d'Empire, il y devint le porte-parole des Croates, des Serbes de Vojvodine et des Slovènes dont la langue était toujours exclue de l'enseignement. Au Sabor — parlement de Zagreb — de la même année, il fit adopter une mesure donnant à la *cirilica* — l'écriture cyrillique — des Serbes de Croatie les mêmes droits qu'à la *latinica* — l'écriture latine — des Croates ; la langue officielle de la Croatie fut baptisée « yougoslave » d'un mot accepté par tous et dont ce fut le début d'une longue carrière.

Pourtant, du côté des Serbes, des réticences existaient. Ceux de la Vojvodine dont le pays avait été ravagé par les armées de Kossuth lors de la révolution de 1849, attendaient de l'Empereur quelque marque de bienveillance. Une administration autonome fut mise sur pied sous le nom de « Vojvodat serbe », mais fut dissoute dès 1860. Or quelques années auparavant, le Croate Tkalac, dans une brochure anonyme, avait clairement indiqué que la Serbie était destinée à être le noyau du futur État de tous les Slaves du Sud. Depuis 1844, en effet, les Serbes de la Principauté avaient un programme : le *Načertanje* – de *načrt* = projet. Il fut inspiré à son rédacteur, l'homme d'État serbe Ilija Garašanin (1812-1872) par les patriotes polonais. Exilé en 1840 par le prince Mihailu à Istanbul, Garašanin y avait rencontré des agents du prince Czartoryski. Celui-ci, au lendemain de l'insurrection polonaise de 1830, s'était réfugié à Paris d'où il avait tissé à travers l'Europe un réseau d'agitation contre la Russie. Pour lui, la capitale ottomane constituait une base de pénétration dans les

(1) Dialecte de la Croatie de l'Est proche du serbe, dans lequel *što* = quoi.

Balkans où les émigrés du tsar étaient nombreux ; il fallait, pensait-il, mobiliser tous les mécontents pour provoquer un conflit qui permettrait de poser à nouveau le problème de la résurrection de la Pologne. Pessimiste sur l'avenir de l'Empire ottoman, il craignait que les Balkans ne deviennent la zone privilégiée du Tsar et encourageait les États chrétiens. La petite principauté de Serbie était alors sous influence russe et se heurtait à la suspicion de l'Autriche en proie à l'agitation de ses nationalités, en particulier des Serbes de Hongrie.

Garašanin rentra à Belgrade en 1843 et devint le chef du gouvernement du prince Alexandre Karageorgević (1849-1858). Il rédigea alors pour ce dernier un « projet » de politique extérieure qui reprenait les idées essentielles des Polonais. Il atténuait toutefois la vision « yougoslave » qui avait obtenu l'accord des Croates ralliés à l'Illyrisme mais se heurtait à une opposition absolue de l'Autriche. Il mit l'accent sur l'unité des Serbes en invitant le Prince à regarder vers ceux du Monténégro indépendant mais surtout vers ceux de la Bosnie-Herzégovine soumis aux Ottomans. Cela permettrait à la Serbie d'avoir un débouché sur la mer. Pour justifier un tel programme, on se tourna vers l'Histoire : l'État serbe du Moyen Âge fut appelé à l'aide et l'empereur Dušan (1331-1355) servit à légitimer des ambitions plus modernes. L'historicisme romantique combiné au jacobinisme emprunté aux Français fournit ainsi jusqu'à la Première Guerre mondiale un programme « national » serbe qui divergeait des aspirations yougoslaves.

Bulgarisme, croatisme et yougoslavisme

Pour les Illyriens, les « yougoslaves » comprenaient les Bulgares, et les Serbes partageaient cet avis. On le vit au lendemain des révolutions de 1848-1849 en Autriche : soucieux de ne pas provoquer Vienne, Ilja Garašanin revint au *Načertanje*. Dès 1849, il élabora avec des patriotes bulgares un plan de propagande politique visant au soulèvement de « tous les peuples opprimés », en fait les peuples slaves de l'Empire ottoman, Bulgares, Serbes de Bosnie-Herzégovine, habitants de la Macédoine. Une organisation fut mise sur pied, dont Garašanin était le chef, et qui comprenait des « propagandistes et des francs-tireurs » *(četnik)* ; l'imprimerie du Prince diffusa parmi eux un « règlement de la guerre des *četnik* » qui était une traduction des instructions du Polonais Czarloryski.

Au lendemain de la guerre de Crimée, Ilja Garašanin revenu au pouvoir s'efforça de poursuivre la politique du *Načertanje*. Il remit sur pied un « Comité serbe » qui devait entraîner les Bulgares, les Grecs de Macédoine, les populations mélangées de la Bosnie-Herzégovine. Il accueillit à Belgrade des Bulgares comme Georgi Rakovski (1821-1867) et Ljuben Karavlov (1837-1897) ; le premier organisa une « Légion bulgare » forte de six cents hommes, le second collabora avec « l'Association de la jeunesse serbe » — *Omladina* — pour soulever ses compatriotes. Le programme de Garašanin s'adressait à « tous les peuples » et visait à créer une « Fédération balkanique » à laquelle il travailla jusqu'à sa chute, en novembre 1867 ; il signa avec la Grèce un traité en août 1867 pour lutter ensemble contre l'Empire ottoman.

À partir des années 60 du XIXe siècle, un tournant se produisit : les patriotes bulgares posèrent comme objectif de leur action la formation d'un État : la Bulgarie. Bucarest devint le centre de leur émigration et de leurs activités. Certes Rakovski resta fidèle à l'idée d'une fédération balkanique car les émigrés étaient divisés sur les frontières du futur État bulgare et se heurtaient aux ambitions des Serbes et des Grecs. Mais d'autres étaient partisans d'un État indépendant. Vassil Levski (1837-1879) qui avait servi dans la « Légion bulgare » de Belgrade, participa à des coups de main contre le territoire ottoman et, avec son collègue Ljuben Karavelov, organisa un « Comité central révolutionnaire » dont le programme était la création d'une « République démocratique » de Bulgarie. Arrêté, Levski fut pendu à Sofia en février 1873 et devint le martyr de la cause bulgare.

À l'autre extrémité du domaine des Slaves du Sud, l'évêque Štrossmajer continuait sa propagande « yougoslave » et, comme nonce pour les catholiques de Serbie, faisait de nombreux voyages à Belgrade. Mais il se heurtait à un nationalisme croate. Le compromis austro-hongrois de 1867 avait été suivi l'année suivante d'un autre compromis, *Nagodba*, entre les Croates et les Hongrois, plus précisément entre le Sabor de Zagreb et le gouvernement de Budapest. Il instituait une autonomie dont les patriotes ne se satisfirent pas. L'attitude envers les Magyars domina la vie politique, mais aussi celle envers les Serbes. En 1881, la « frontière militaire » jusque-là gouvernée directement par Vienne fut incorporée au pays croate : or sa population était serbe et le pourcentage de ceux-ci dépassa les 20 % dans le Royaume. Un parti nouveau, celui

« du droit » se constitua sous l'autorité d'Ante Starčević (1823-1896). Remontant aux *pacta conventa* de 1102 signés entre le roi de Hongrie Kaloman et douze des tribus croates, il affirmait que la Croatie était un État indépendant réuni à la couronne de St-Etienne par une simple union personnelle ; il manifestait également une hostilité sans faille contre les Serbes ; il réécrivit toute leur histoire, « cette impure engeance » en faisant d'eux de simples « croates schismatiques ». L'occupation de la Bosnie-Herzégovine par l'Autriche-Hongrie en 1878 suscita en pays croate des manifestations de joie, mais provoqua une vive tension avec les serbes ; en 1895, la visite à Zagreb de l'empereur François-Joseph fut marquée d'incidents : le drapeau serbe de l'église de Preradović fut brûlé et cinquante-trois étudiants croates passèrent en jugement.

Cette année mourait l'évêque Strossmajer ; l'année suivante, ce fut le tour de Starčević. On assista alors à un regroupement politique. En 1903, un « parti croate du droit » réunit les disciples des deux leaders qui avaient enterré la hache de guerre, tandis qu'un avocat juif baptisé, le Dr Frank faisait sécession et devenait plus *Samohravt* — Croate en soi — que Starčević lui-même. En octobre 1905, à l'instigation d'un journaliste de Fiume (Rijeka), Frano Supilo et d'Ante Trumbić, député-maire de Spalato (Split), une cinquantaine de députés de Croatie, Dalmatie et Istrie votèrent les « résolutions de Fiume » demandant la révision de la Nagodba dans un sens libéral et la réunion de la Dalmatie — province autrichienne — au Royaume. Trente députés serbes y adhérèrent par la « Déclaration de Zara ». Ainsi se constitua une coalition croato-serbe qui fut victorieuse aux élections de 1906. En 1912, une nouvelle loi électorale qui portait le nombre des électeurs du Royaume à 190 000 (7,2 % de la population) amena une majorité relative favorable au yougoslavisme.

En 1914, le mouvement de l'Illyrisme avait éclaté, donnant naissance à quatre options : le bulgarisme, le serbisme, le croatisme, tandis qu'à Zagreb perdurait le yougoslavisme.

4. L'idée latine des Roumains

L'idée d'un peuple « latin » descendant des colons établis en Dacie par Trajan a été, et demeure, un des éléments essentiels du nationalisme roumain.

La romanité des Roumains

Un historien des Allemands de Roumanie, Adolf Armbruster a fait l'histoire de cette idée depuis les origines des Roumains [2].

Il commence par noter chez des écrivains byzantins, hongrois, italiens, allemands, des théories qui se réfèrent à la colonisation latine pour expliquer l'origine ethnique et linguistique de ce peuple. Les papes, en particulier, dans leur correspondance avec les princes et dignitaires ecclésiastiques de la région, rappelaient que les Roumains étaient de « sang » latin. C'est le cas, par exemple, d'Innocent III écrivant au tsar bulgare Kaloyan (1196-1207), tandis que l'Anonyme, cet auteur des *Gesta Hungarorum* du XIe siècle, citait parmi les populations que les Magyars rencontrèrent en Pannonie les *pastores romanorum.* Mais tout en notant que les Roumains parlaient une langue spécifique, ces écrivains n'en faisaient pas remonter l'origine au latin. Ce fut la découverte de l'époque suivante, celle de la fondation des États féodaux roumains au XIVe siècle et des humanistes italiens du XVe siècle. Ceux-ci développèrent dans leurs ouvrages l'histoire de la romanité orientale et trouvèrent à Mathias Corvin des ancêtres prestigieux dans la *gens Corvina.* Le livre imprimé en roumain, dont le premier exemplaire remonte à 1544, commença à élargir la diffusion de ces thèses qui s'épanouirent à l'époque du baroque, cet « âge d'or de la culture médiévale roumaine ». Désormais, le progrès de la connaissance de la Romanité des Roumains vint non plus des étrangers mais des écrivains issus de ce peuple.

Au XVIIe siècle, les Saxons de Transylvanie publièrent de nombreux ouvrages d'histoire contemporaine, c'est-à-dire de leur époque, mais en y ajoutant des considérations sur l'origine des groupes ethniques. Ainsi, Johann Tröster († 1670) décrivait les Roumains comme les descendants des soldats de la frontière et insistait sur le fait qu'ils se désignaient eux-mêmes par le nom de « Rumuni ou Römer » ; il étudiait leurs coutumes, leurs danses, leurs costumes pour en apporter la preuve. Plusieurs de ses compatriotes écrivirent des œuvres où l'histoire des Allemands de Transylvanie les amenaient à se pencher sur le problème des origines roumaines.

(2) *La Romanité des Roumains*, Éditions de l'Académie, 1977.

Les Chroniqueurs roumains allèrent dans le même sens. Grégoire Ureche (1590-1647), que l'on considère souvent comme le fondateur de l'historiographie nationale, résuma ce que l'on avait écrit à l'étranger sur ce sujet, mais y ajouta une étude sur la langue roumaine qu'il fonda sur sa connaissance du latin. Et dans sa *Chronique de Moldavie*, il écrivait : « Les Roumains, tant qu'ils sont à habiter le Pays hongrois et la Transylvanie et le Maramurech viennent du même endroit que les Moldaves et tous descendent de Rome. » L'unité du peuple roumain était ainsi affirmée. Miron Costin (1633-1691) reprit et développa ces thèses : « Le peuple du pays de Moldavie d'où tire-t-il sa souche ? Du pays d'Italie, que tout homme le sache. » Il écrivit un ouvrage particulier sur la « Lignée des Moldaves », premier traité savant consacré exclusivement à l'origine de son peuple. Le plus long des chapitres traitait de Trajan : « Et cet Empereur Trajan, il est venu par ici et il a investi cette partie du monde et il a fondé le peuple, la lignée qui vit jusqu'à présent en Moldavie et au pays des Montagnes et tout le peuple de Transylvanie de ce nom : Roumain. » Demeter Cantemir (1673-1723), prince de Moldavie, allié de Pierre le Grand, fut entraîné dans sa défaite de 1711 et se réfugia à Saint-Petersbourg. À la demande de l'Académie de Berlin, il rédigea deux ouvrages, la *Descriptio antiqui et hodicini status Moldaviae* (1719) et en roumain sa *Chronique de l'antiquité roumano-moldo-valaque* (1719-1722). Le premier posait les pierres angulaires de la romanité : colonisation romaine, descendance des Roumains de Dacie, latinité de sa langue, romanité de certaines de ses institutions juridiques ; la seconde œuvre développait largement ces thèmes tout en polémiquant avec les humanistes italiens qui avaient, d'après lui, falsifié cette antiquité des Roumains. Pour Cantemir, les Daces disparurent complètement après la conquête de Trajan, d'où la nécessité de coloniser le pays et l'Empereur fit appel à des citoyens d'origine italique, voire de Rome même. Par là, il rejoignait une des thèses de l'École transylvaine.

L'École transylvaine

La *Scoala Ardeleana*, parfois appelée *Scoala latinista*, « l'École latinisante », procède des milieux uniates des Roumains de Transylvanie. Dès le traité de Blasendorf (1687) qui faisait passer la Principauté sous l'autorité des Habsbourg, l'Empereur Léopold Ier rallié à la Contre-Réforme, voulut soumettre ses nouveaux sujets orthodoxes à l'autorité du pape. Ce fut chose faite en octobre 1698, lorsque le métropolite de Karlsburg (Alba Julia), Atanasie Anghel et 38 archiprêtres firent acte de soumission au pontife romain. L'Église uniate de Transylvanie, fondée sur sa liturgie traditionnelle en slavon, fut un centre du combat pour l'application de l'égalité des privilèges à son clergé et l'octroi des droits civils à ses fidèles concédés par le Diplôme léopoldien de 1701. L'évêque Innocentie Micu-Klein (1692-1768) qui occupa le siège de Fagaraş de 1729 à 1744 s'en fit le porte-parole. Pendant quinze ans, il multiplia les mémoires et requêtes à la diète transylvaine et à la cour de Vienne afin d'obtenir une stricte application du Diplôme. Il s'agissait à ses yeux de renforcer l'uniatisme face à l'orthodoxie, mais pour fonder son argumentation, il invoquait l'ancienneté de l'établissement des Roumains en Transylvanie et les faisait remonter à Trajan. La Diète s'opposa à toute velléité d'organiser une « quatrième nation » à côté des Nobles (Hongrois), des Szeklers et des Saxons ; l'évêque fut obligé de renoncer à son siège et mourut en exil en Italie.

Mais les idées de Micu-Klein furent reprises et développées par ses disciples. Samuel Micu (1745-1806) écrivit une *Histoire des Roumains* dans laquelle il affirmait la descendance directe depuis les colons romains établis au IIe siècle en Dacie. L'un des premiers, il souligna que lorsque l'empereur Aurélien retira l'armée et l'administration de la province, « tous les colons, fermiers et autres qui pratiquaient l'agriculture et le travail chez eux restèrent sur place ». Gheorghe Sincai (1753-1816) reprit les mêmes thèses dans sa *Chronique des Roumains*, tandis que Petru Major (1754-1821), dans son *Histoire depuis les débuts des Roumains en Dacie* polémiquait avec les écrivains étrangers. En particulier avec le grand slaviste Bartholomé Kopitar qui, en 1813, avait publié une étude affirmant que contrairement aux affirmations de l'École transylvaine, les Daces n'avaient pas été exterminés par les Romains et que mêlés aux colons d'Italie, ils avaient donné naissance aux Roumains.

À côté de ces développements historiques, les continuateurs de Micu-Klein se préoccupèrent des problèmes de la langue et publièrent les premières grammaires et les premiers dictionnaires. Samuel Micu et Gheorghe Sincai firent paraître ensemble à Vienne, en 1750 — en latin — des *Éléments de langue Daco-Romaine ou Valaque*. Ils considéraient que le roumain dérivait du latin classique et devait retourner à sa forme originelle. Aussi remplaçaient-ils l'alphabet cyrillique par l'alphabet latin en utilisant un système de transcription entre les deux langues.

Petru Major, dans son *Lexique de Buda*, premier dictionnaire étymologique de la langue, expliquait les origines et la nature du roumain par le truchement d'une conversation entre un oncle et son neveu. L'oncle expliquait qu'il y avait deux formes de latin : le classique et le vernaculaire et que ce dernier, parlé par les colons de Dacie, avait donné naissance au Roumain.

Après ces grands pionniers, nombreux furent les historiens et les linguistes qui continuèrent leur œuvre, l'approfondirent, le complétèrent, formant jusqu'aux années quarante du XIXe siècle l'École transylvaine. Les théories de l'École furent politisées dès 1791. Cette année, l'empereur Léopold II convoqua la Diète de Transylvanie pour obtenir les subsides nécessaires.

Le problème du hiatus

Lorsque l'Histoire prit au XIXe siècle une allure moderne appuyée sur des textes, les Roumains comme leurs adversaires durent prendre en compte l'existence d'un *hiatus*, c'est-à-dire l'absence durant plusieurs siècles de sources écrites, grossièrement, de l'évacuation de la Dacie par Aurélien en 271 ap. J.-C. jusqu'au 2 juin 1247, date d'un diplôme accordé par le roi de Hongrie à l'ordre des Hospitaliers. Soit un hiatus de près de dix siècles.

On a vu que le problème avait été perçu par l'École transylvaine qui avait affirmé d'emblée la continuité du peuplement romain-roumain après l'évacuation d'Aurélien limitée à l'armée et à l'administration de la Dacie. Dès cette époque les écrivains roumains polémiquèrent avec leurs homologues hongrois, allemands, italiens qui niaient cette continuité. Au XIXe siècle, le problème prit une acuité singulière dans les luttes de prise de conscience nationale, notamment celle des Hongrois dans les années 30-40 du siècle. La formulation la plus complète des objections à cette continuité fut celle du philologue allemand Robert Roessler (1840-1881), dans ses *Romanische Studien* parues à Leipzig en 1871. Elle peut se schématiser dans les propositions suivantes :

a) La conquête de Trajan a pratiquement exterminé la population dace. Les restes, peu nombreux, ont été assimilés par la politique de colonisation des Romains.

b) L'évacuation de la Dacie par Aurélien fut totale : non seulement l'armée et l'administration se retirèrent au sud du Danube mais aussi la population civile romanisée.

c) La Dacie ainsi vidée de ses habitants fut peuplée par des Germains (Gots et Gépides) puis les Slaves, sans oublier les traces des dominateurs successifs, les Huns et les Avars. Si bien que c'est une population à majorité slave que les Hongrois trouvèrent au Xe siècle quand ils conquirent l'intérieur de l'arc carpatique.

d) Le peuple roumain ne s'est donc pas formé dans l'espace des Carpates mais au sud du Danube dans les Balkans, où il fut voisin des Albanais à qui ils empruntèrent un certain nombre de mots. C'est de cette région, le *Paristrion* des Byzantins, que les Roumains, bergers nomades, entraînés sans doute par les Koumans, firent mouvement vers le nord, traversant le Danube et s'établissant dans les Carpates et sur le plateau transylvain où leur première mention date de1222 dans la région de Fogaraş désignée comme *Terra Blachorum*.

À cette théorie roesslérienne, les historiens et philologues roumains ont répondu depuis un siècle en la contredisant point par point.

a) L'extermination des Daces lors de la conquête est « une pure absurdité ». Elle est démentie par des faits historiques et surtout par les fouilles archéologiques. Cette population dace vivant, la province fut romanisée durant les 165 ans de domination de l'Empire ; par romanisation, il faut entendre non le domaine ethnique mais celui de la langue et de la culture. Un processus identique ne demanda pas plus de temps en Pannonie (Hongrie), en Espagne, en Gaule.

b) Cette population romanisée n'a pas toute entière suivi l'armée et l'administration lors de l'évacuation de 271 ap. J.-C. Les fouilles archéologiques ont fait découvrir des restes « romains » jusqu'à la fin du Ve siècle, en particulier des objets paléo-chrétiens.

c) Au-delà du Ve siècle, cette population a persisté sur place pendant toute la période des invasions et jusqu'à la fin du premier millénaire ; les découvertes archéologiques en font foi.

d) L'origine balkanique du peuple roumain ne peut être prouvée. Ni les quelques emprunts du roumain à l'albanais, ni la toponymie ne permettent de désigner une quelconque région des Balkans comme lieu d'ethnogenèse du peuple roumain.

C'est la « théorie de la continuité » du peuplement qui est actuellement acceptée et soutenue par la grande majorité des historiens de la Roumanie. Notons que la théorie roesslérienne est celle de la majorité des historiens hongrois auxquels se sont joints, à l'étranger, des auteurs comme le Français Ferdinand Lot (*Les Invasions barbares*, Paris, 1937), l'Allemand G. Stadtmüller (*Histoire de l'Europe du Sud-Est*, Munich, 1950), l'Américano-tchèque F. Dvornik (*Les Slaves*, Paris, 1970), le Yougoslave G. Ostrogorsky (*Histoire de l'État byzantin*, Paris, 1977), entre autres. Cette théorie conduit à la conclusion que les Roumains ont pénétré en Transylvanie deux siècles après l'établissement de la domination hongroise : on mesure les applications politiques qui en ont été tirées surtout depuis le traité de Trianon de 1920 et qui sont toujours actuelles.

**MEMORANDUM ADRESSÉ À LORD BEACONSFIELD,
CHEF DE LA DÉLÉGATION ANGLAISE AU CONGRÈS DE BERLIN (1878)
PAR LES CHEFS ALBANAIS DE LA RÉGION DE PRIZREN**

« Des rives de la Boyana aux portes de Janina l'aspect est le même, le tempérament des populations est le même : elle se présente elle-même comme un noyau homogène et compact de l'unité d'un type et de l'identité de la race.

De cette cité au golfe d'Ambracie, l'élément grec avec sa religion et sa propagande juridique dispute le terrain à la race albanaise qui se maintient là, prépondérante sinon en nombre, certainement en vigueur et en attitude pour résister.

Comme nous ne sommes pas et ne voulons pas être Turcs, de même nous nous opposons de toutes nos forces si l'on veut nous regarder comme Slaves, ou Autrichiens ou Grecs.

Nous voulons être Albanais.

L'Albanie ne se placera jamais sous la domination slave, qu'elle vienne de la Bulgarie ou du Montenegro. L'Albanie ne sera jamais turque et la preuve en est plus de quatre siècles de lutte pour préserver intact le caractère, les traditions et l'aspect national. »

5. La Renaissance albanaise : Rilindja

À la différence de leurs voisins, les Albanais n'avaient pas de « grande idée » avec laquelle ils pouvaient nourrir leur nationalisme. Seul le personnage de Skanderbeg offrait la base d'un mythe. Pourtant ils ne restèrent pas étrangers au mouvement d'éveil des nationalités du XIXe siècle et développèrent leur prise de conscience à partir d'éléments spécifiques.

Les bases de la Rilindja

Dans l'Empire ottoman, contrairement aux Grecs, aux Serbes, aux Bulgares, les Albanais ne pouvaient se définir par la religion. L'histoire avait fait de leur groupe ethnique un groupe tricéphale. Au nord, 10 % de catholiques issus de l'héritage de Skanderbeg, soutenus ensuite par les missionnaires Franciscains et Jésuites d'Italie puis d'Autriche ; au sud 20 % d'orthodoxes provenant eux aussi de la période antérieure à la conquête ottomane ; au centre 70% de musulmans convertis dès le XIVe siècle et dont le groupe s'élargit au XVIIe siècle par un mouvement commun à tous les Balkans. Ces musulmans albanais avaient servi avec zèle dans les armées du Sultan, formant les *Arnaoutes*, tandis qu'un certain nombre d'entre eux faisaient carrière dans l'administration jusqu'au niveau du grand vizir, tels les Köprülü de 1656 à 1702. Ils avaient acquis une réputation de loyalisme envers le souverain et d'un dévouement à l'Islam empreint parfois de fanatisme.

Restaient, pour fonder leur spécificité nationale, les coutumes et la langue. Les premières représentaient de notables différences entre les Ghegs et les Tosques. Au nord de la rivière Shkumbi, les Ghegs qui incluaient aussi les Kosovars — habitants du Kosovo — avaient conservé leur organisation traditionnelle en *fis*, structure proche des tribus monténégrines et apparentée à la *gens* latine. Comme cette dernière, elle était fondée sur la famille au sens large et le chef était le mâle le plus âgé de la génération des parents ou des grands-parents. La réunion de plusieurs *fis* constituait une organisation territoriale et politique, souvent de nature géographique comme une vallée, le *bajrak*, d'un mot turc désignant la bannière. Son chef le *bajraktar*, le porte-bannière, fréquemment héréditaire dans une famille, était le chef des combattants. Plusieurs bajraks constituaient une tribu avec à sa tête un chef élu par les bajraktars. Les coutumes et autres dispositions juridiques étaient appliquées dans le cadre de la tribu ; celles du nord suivaient le code de Leka Dukagjini, féodal du XVe siècle, tandis qu'en pays de Dibar et de Mati prévalait le code de Skanderbeg. Au sud de la Shkumbi se trouvaient les Tosques qui avaient abandonné l'organisation du *fis* et étaient directement administrés par les lois ottomanes ; seuls quelques villages constituaient de petits clans — *farë* — dont le chef était élu. La partie centrale, musulmane, et les plaines du nord et du sud, régions de Scutari (Shköder) ou d'Avlona (Vlora) étaient, comme le reste de l'Empire ottoman, organisées en fiefs militaires, les *timars*, tenus par les sipahis ; ils étaient graduellement transformées en *çiftlik*, grands domaines dont le propriétaire était *l'ayan*.

La langue albanaise était indo-européenne et bien que compréhensible sur tout le territoire, se structurait en deux ensembles, gheg et tosque, présentant des différences phonétiques et morphologiques variables suivant les dialectes. Elle était peu écrite et l'on utilisait pour ce faire, les alphabets arabe, grec et latin.

À l'extérieur de l'Empire existaient d'importantes émigrations albanaises. En Italie, les Arbëresh étaient les descendants de colonies du XVe siècle. Au lendemain de la chute de Skanderbeg, deux cent mille personnes, d'après la tradition, cherchèrent refuge dans le Royaume de Naples, en Sicile et en Calabre surtout. Ils y furent rejoints par diverses vagues jusqu'aux XVIIIe siècle et ils conservèrent leur langue et leur culture. Ils purent organiser des écoles, en particulier en 1794 le collège St-Adrien à San Demetrio Corona, en Calabre, où l'on enseignait la langue albanaise. D'autres noyaux se trouvaient dans l'ensemble des Balkans, d'abord à Istanbul où l'on rencontrait quelque soixante mille Albanais, en Grèce, dans les principautés roumaines, en Égypte et en Russie du Sud. Beaucoup de ces émigrés se sentaient solidaires de leurs compatriotes restés au pays et au XIXe siècle furent sensibles au mouvement de l'éveil des nationalités.

Les problèmes de la langue, de l'école et de l'alphabet

Les Réformes — le *Tanzimat* — en particulier le Katti-cherif (l'édit) en 1839 de Gülkhane, prévoyaient l'égalité de tous les sujets quelle que soit leur religion et une centralisation de l'administration. Ce fut la source d'un vif mécontentement dans les pays albanais : les musulmans refusant l'égalité des chrétiens, les chefs locaux craignant pour leur pouvoir. D'autre part, un projet de loi ottomane de réforme de l'enseignement ouvrait le champ à des écoles confessionnelles qui se multiplièrent.

Certains Albanais comprirent le danger que courait leur culture. Naum Vegilharxhi (1797-1854) qui avait émigré en Roumanie, souligna que « la culture ne peut être propagée que dans la langue maternelle » et publia des manuels scolaires en albanais ; en 1850, il fonda à Bucarest une « Association culturelle albanaise ». En Italie, sous l'influence du Risorgimento, quelques intellectuels arbrèches prirent conscience de leur origine. Girolomo de Rada (1814-1903) écrivit de nombreux poèmes dont l'épopée de Skanderbeg (1866) qui fut traduite en plusieurs langues et retint l'attention de Lamartine et de Mistral. Demetrio Camarda (1821-1882) publia une étude scientifique de la langue albanaise pour en démontrer l'ancienneté.

Dans le pays même, le mouvement fut lent et difficile. Les musulmans se contentaient des écoles turques sous la direction de l'instruction publique des provinces, tandis que les orthodoxes se ralliaient aux écoles grecques organisées par le Patriarcat de Constantinople qui, en 1872, avait fondé une « Association culturelle ». En 1878, dans les trois *sandjaks* (arrondissements) les plus développés : Vlora, Berat et Gjirokastër, on dénombrait 80 écoles turques, 163 écoles grecques, mais aucune école albanaise. L'étude de la langue ne se faisait que dans deux établissements catholiques de Scutari où elle figurait comme matière secondaire dans un enseignement en italien. On commença cependant à cette époque à recueillir les traditions du folklore. Zef Jubani, secrétaire du consulat de France à Scutari fit paraître à Trieste en 1871 un *Recueil des chants populaires et rhapsodies albanaises.* En 1878, Thimi Mitko, émigré en Égypte, publiait une collection de chansons et proverbes sous le titre L'*Abeille albanaise* qui se référait ainsi aux Matice [(3)] slaves de l'époque romantique.

Les événements des années qui suivirent — la crise d'Orient de 1875-1877 et le traité de Berlin de 1878 — obligèrent la Rilindja à se politiser. En avril 1877, un notable d'une famille beycale du sud, Abd ül Frashëri (1839-1892), élu député de Janina au premier

(3) *Matica* = la reine (des abeilles). Association culturelle.

parlement ottoman, rédigea un memorandum réclamant l'autonomie des pays albanais, réunis dans une seule province — *eyalet* — administrée par des fonctionnaires de la région et se servant de l'albanais comme langue administrative. Puis en prévision de la réunion des diplomates des Puissances à Berlin, le même Abd ül Frashëri appela quatre-vingts délégués des trois confessions à se réunir pour former la « Ligue de Prizren » (juin 1878). Mais Bismark déclara « Il n'y a pas de nationalité albanaise » et la Porte refusa l'autonomie : une armée ottomane occupa Prizren en décembre 1881 et arrêta les principaux membres de la Ligue.

Le mouvement n'en continua pas moins sur le plan culturel. Les deux frères d'Abd ül Frashëri prirent le relais : Sami Frashëri (1850-1905) organisa à Istanbul une « Société des lettres albanaises » pour imprimer des manuels scolaires et Naïm Frashëri (1846-1900) publia en vers une *Histoire de Skanderbeg* qui fit de lui le poète national albanais. La Société parvint à faire sortir une revue, *Orita* (La Lumière) puis en 1887, obtint l'autorisation d'ouvrir une école privée à Korça : ce fut le 7 mars 1887 que commença à fonctionner la première école « nationale » albanaise destinée aux enfants des trois confessions.

À l'étranger, d'autres émigrés fondèrent des « associations patriotiques » en Roumanie, en Bulgarie, en Égypte. C'est de ce dernier pays qu'un jeune patriote Fan Noli (1882-1965) partit pour Boston aux États-Unis afin de créer une Église missionnaire albanaise (1908).

Restait un problème à régler, celui de l'alphabet. On a vu que les textes albanais étaient jusque là écrits dans trois alphabets : l'arabe, le grec et le latin. Dès 1864, K. Kristoforighi (1830-1895), un jeune intellectuel employé à Istanbul par la Société biblique anglaise s'en était préoccupé tout en préparant son *Dictionnaire de la langue albanaise* paru après sa mort. Une longue querelle opposa les partisans de l'alphabet arabe — les musulmans soutenus par le « cheykh ül Islam » et les intellectuels qui tenaient pour la graphie latine. Finalement, ce fut un congrès tenu à Korça en février 1911 qui se prononça pour l'alphabet latin [(4)]. À partir de la révolte des Jeunes Turcs en 1908, la Rilidja devint le mouvement d'indépendance des Albanais.

(4) C'est en 1972 qu'un congrès à Tirana imposa l'unification totale de la langue.

6. Deux groupes minoritaires : les Aroumains et les Musulmans

Il faut distinguer les minorités nationales : Albanais du Kosovo, de l'Épire ou de la Macédoine, Bulgares de Macédoine ou de la Dobroudja, Turcs de Bulgarie, Serbes du Banat, de Bosnie ou de Croatie, qui se considèrent comme des rameaux détachés du bloc d'une « nation », incorporés par l'histoire dans une autre « nation » dont ils partagent de gré ou de force les aventures. Face à ces groupes minoritaires, les Aroumains, Juifs, Arméniens, Tchékesses et autres, auxquels nous ajouterons les Musulmans de Bosnie, constituent des groupes spécifiques sans référence à une nation.

Les Aroumains ou Vlachs

Dès le Xe siècle, on rencontre chez les auteurs byzantins la mention des *Vlachos*, population romanisée du nord de la Grèce, du sud de l'Albanie, de la Macédoine slave et de la Bulgarie de l'Ouest, auxquels il faut joindre les Aroumains du Pinde, les Istro-Roumains de Dalmatie et les Mégléno-Roumains de la vallée du Vardar, qui se désignent eux-mêmes par un nom issu du mot *romain*. Tous sont des Vlachs, essentiellement des pasteurs nomades, que l'on rencontre durant tout le Moyen Âge des États chrétiens. Les Ottomans respectèrent leurs organisations autonomes mais les obligèrent au service militaire dans les armées impériales ou bien sur place. En face, les Habsbourg enrolèrent de nombreux Vlachs dans leur « frontière militaire » — *Militärgrenze* — au contact de l'Empire du Sultan.

À la fin du XVIIIe siècle, les Aroumains étaient principalement groupés autour du massif du Pinde, avec des ramifications jusqu'en Thessalie, en Épire, en Albanie. Ils continuèrent à élever des troupeaux de moutons mais s'occupaient également de commerce et d'artisanat dans les bourgs qui apparaissent parmi les plus prospères des Balkans. Le centre le plus important était la cité de Moschopoli, actuellement près de la ville albanaise de Korça ; elle comptait alors quelque vingt mille habitants et vingt-deux églises. Ruinée par les guerres entre pachas et féodaux, sa population émigra vers l'Europe centrale, Leipzig, Vienne, Pest, mais surtout dans tous les pays balkaniques où elle forma de nombreux membres des couches éclairées qui luttèrent pour les indépendances nationales.

Face à une assimilation croissante, les Vlachs furent sensibles aux mouvements nationaux du XIXe siècle. La préoccupation première de leurs patriotes fut l'introduction de leur langue à l'école et à l'église. Dans cette lutte, ils furent aidés par les Roumains qui, en pleine période d'affirmation nationale pour eux-mêmes, découvrirent et prirent fait et cause pour ces « cousins » qui parlaient une langue latine. Il se constitua à Bucarest, dans les années cinquante, un « Comité macédo-roumain » qui envoya un message à Napoléon III et souscrivit pour l'impression d'une grammaire aroumaine. Le grand apôtre de la cause vlaque fut Apostol Margarit (1832-1903), natif de la région du Pinde, instituteur à l'école communale grecque de Kleisoura près de Kastoria, qui entreprit de donner des cours d'aroumain à côté des cours de grec. Il se heurta à une vive opposition du clergé hellénique, mais fut appuyé par le Comité de Bucarest. Le mouvement de fondation des écoles en territoire ottoman progressa rapidement : treize en 1878, quatre-vingts en 1900. À la veille de la première Guerre balkanique de 1912, près de trois cents instituteurs et institutrices émargeaient au budget du ministère de l'Instruction publique de Bucarest pour quatre mille élèves environ. Le royaume de Roumanie se posait officiellement en protecteur des écoles aroumaines dont A. Margarit était l'inspecteur général basé à Istanbul. Dans ces écoles, l'aroumain ne servait que d'intermédiaire pour les premiers rudiments puis l'on passait très vite au roumain littéraire. Dès 1878, le gouvernement ottoman accepta la création à Bitola d'un lycée de garçons et d'une école supérieure de filles tout près du consulat royal de Roumanie qui s'entoura également d'une librairie avec bibliothèque de prêt et d'une pharmacie.

A. Margarit combattit également pour le droit des Vlachs d'avoir une Église. En dépit de la résistance du clergé grec, il parvint à imposer l'aroumain, voire le roumain, dans certaines parties de l'office, mais échoua dans sa tentative de créer une hiérarchie ecclésiastique aroumaine.

Durant la crise de Macédoine, les Vlachs demandèrent la reconnaissance officielle par les autorités ottomanes de leur individualité ethnique et de leurs institutions. En mai 1905, la Porte reconnut une nationalité aroumaine en dépit de vives protestations de la Grèce. En réponse au terrorisme des Hellènes, les relations diplomatiques furent rompues entre Bucarest et

Athènes, mais le roi Carol Ier interdit la formation de bandes armées aroumaines. La révolte des Jeunes Turcs en 1908 permit l'élection de deux Vlachs au Parlement d'Istanbul et trois Congrès nationaux aroumains eurent lieu entre 1908 et 1910. Le traité de Bucarest de 1913 mettant fin aux Guerres balkaniques reconnut aux Vlachs l'autonomie scolaire et religieuse dans les nouvelles possessions des États, la création d'évêchés et le droit pour le gouvernement de Bucarest de subventionner ces institutions. La Grande Guerre leur porta un coup sévère. Dès 1918, l'État des Serbes-Croates-Slovènes ferma les écoles de Macédoine, tandis que la Bulgarie ne conservait que deux écoles primaires aroumaines et une école d'enseignement général. En Albanie, la vingtaine d'écoles primaires et les deux lycées des Vlachs connurent une vie difficile et finalement furent fermées. Seule la Grèce maintint, jusqu'en 1945, ses vingt-sept écoles primaires et ses cinq écoles d'enseignement général.

Depuis la fin de la Seconde Guerre mondiale, les États socialistes ne s'étaient nullement préoccupés de ces problèmes et les Aroumains se sont manifestés par leurs émigrations aux États-Unis, en Allemagne, en France, en Grèce. Par leurs Congrès, ils ont clairement exprimé leur refus d'être une « colonie » de Bucarest, tout en affirmant dans leurs publications une fidélité à leur langue et à leur culture. La fin des systèmes socialistes marque-t-il un nouveau départ des Aroumains vers l'avenir ou au contraire l'accélération d'un processus d'assimilation de ce peuple ?

Les Musulmans de Bosnie

Les Ottomans ne pratiquèrent pas une politique systématique de conversion lors de leurs conquêtes. Si l'on met à part les Turcs d'Anatolie qu'ils établirent comme colons en Bulgarie actuelle et en Macédoine, il ne reste que trois peuples des Balkans qui embrassèrent partiellement l'Islam : les Albanais, les Pomaks de Bulgarie et les Serbo-Croates de la Bosnie. Or les Albanais de la République indépendante, du Kosovo ou de la Macédoine, bien que musulmans, se définissent comme albanais, tandis que les Pomaks des Rhodopes se disent plus ou moins volontairement bulgares. Tel n'est point le cas pour les Serbo-Croates de Bosnie passés à l'Islam.

Quelles que soient les circonstances et la date de leur conversion — XVe et XVIIe siècle — ces disciples du Prophète affirment leur foi mais ont conservé leur langue, le serbo-croate, qu'ils écrivirent longtemps en caractères arabes. Tant qu'ils furent inclus dans l'Empire ottoman, ils furent de loyaux sujets pour qui le Sultan était le représentant d'Allah et la Porte son gouvernement, même si au cours des siècles, la lourdeur des charges provoqua des révoltes. Depuis la conquête de 1463, l'ancien royaume de Bosnie et le duché d'Herzégovine constituaient une province désignée comme un pachalik dont le gouvernement résidait à Travnik, puis Sarajevo. La structure féodale s'y maintint jusqu'au XIXe siècle. Les anciens nobles convertis se paraient du titre de *bey* et se considéraient comme propriétaires de leurs terres ; ils les faisaient cultiver par des paysans musulmans ou chrétiens dont ils exigeaient de lourdes redevances en nature. Les villes étaient entièrement « turques » par leurs mosquées, leurs hammams, leurs habitations, leurs petites boutiques, leurs populations aux femmes voilées.

Au XIXe siècle, les beys s'opposèrent vivement aux réformes de l'Empire et se montrèrent « plus turcs que les Turcs ». Ils se révoltèrent contre Istanbul jusqu'à ce qu'en 1850 la Porte se décidât à les priver de leurs pouvoirs d'administration. En 1875, les paysans, surtout chrétiens écrasés de charges, se soulevèrent en une jacquerie étrangère à toute idée nationale. Les Puissances intervinrent et ce fut la troisième « Crise d'Orient » du XIXe siècle qui aboutit au traité de Berlin (juin 1878). Pour prix de sa modération, l'Autriche-Hongrie obtint l'occupation militaire de la Bosnie-Herzégovine qui restait toutefois sous la souveraineté du Sultan.

L'entrée des troupes donna lieu à une résistance armée brève mais vive des populations musulmanes du centre. L'administration mise en place fut dirigée pendant vingt ans par un Hongrois, B. von Kallay (1839-1903), persuadé de sa mission civilisatrice pour hisser les Bosniaques au niveau européen. Il nomma de nombreux fonctionnaires et favorisa l'élément catholique en développant la hiérarchie ecclésiastique, en bâtissant la cathédrale de Sarajevo, en ouvrant des écoles religieuses. Indiscutablement, il modernisa le pays et créa des voies ferrées, des routes, des hôpitaux. Mais la situation des paysans changea peu et les quelques progrès furent annulés par le développement démographique. L'échec de Kallay fut complet dans sa politique des nationalités. Tandis que les orthodoxes regardaient vers Belgrade devenue capitale d'un royaume en 1882, il s'efforça de promouvoir chez les musulmans une « nationalité bosniaque ». L'opération se révéla artificielle et vaine. Tandis que dans l'Empire des Habsbourg les conflits des nationalités s'aggravaient, en Bosnie-Herzégovine se fortifiait la double équation : orthodoxes = serbes, catholiques = croates, alors que les musulmans formaient un noyau à part dont l'identité nationale restait problématique. Pendant la période du Royaume de Yougoslavie, les députés de Bosnie représentant les grands propriétaires terriens se rangèrent plutôt du côté des Croates, cependant que le leader musulman D. Spaho participait en 1935, comme ministre, au gouvernement de M. Stojadinović. Durant la Seconde Guerre mondiale, la Bosnie-Herzégovine fut englobée dans l'État croate indépendant du chef oustachi Ante Pavelić qui proclama que les musulmans étaient « la fleur de la nation croate ». Certains participèrent à côté des Oustachis aux opérations de massacres des Serbes de leur pays. Dans la Yougoslavie de Tito, ils furent d'abord considérés lors des recensements comme des « yougoslaves indéterminés », à côté des Serbes, des Croates, des Slovènes, des Macédoniens. Puis à partir de 1968, on décida, non sans difficultés, que « les musulmans parlant le serbo-croate » formaient une sixième « nation » yougoslave, sur la base de la culture autant que de la religion : ce furent les Musulmans avec M majuscule, tandis que les disciples du Prophète de Macédoine ou du Kosovo étaient désignés par le mot musulman avec une minuscule.

C'est encore la situation actuelle. Les Musulmans de Bosnie sont-ils une véritable nation ? Certains le récusent qui préfèrent se dire serbe ou croate, en se rattachant par-dessus les siècles de la présence ottomane, à leurs ancêtres chrétiens du royaume de Bosnie ou du duché d'Herzégovine. D'autres l'acceptent, qui se voient comme les membres yougoslaves d'une communauté islamique plus vaste. À la question : Qui êtes-vous ?, beaucoup se contentent de répondre « Je suis musulman ». Tous en tous cas sont conscients d'être différents et sont fiers de leur culture arabo-persane du passé.

Chapitre 4

— La conquête d'un État —

Toutes les « nations » balkaniques ont constitué leur État au XIXe siècle, au moment où le modèle révolutionnaire français s'imposait aux peuples. Ce modèle était celui de « l'État-nation », c'est-à-dire de la coïncidence aussi exacte que possible entre la Nation qui s'affirmait sur le plan culturel et politique et l'État qui en devenait l'acteur sur le plan du territoire du groupe et sur le plan international. Cela postulait des groupes humains clairement localisés, séparés de leurs voisins par des frontières indiscutables. Ce qui était rarissime dans l'espace balkanique qui se dégageait d'une domination ottomane pluriséculaire. Serbes, Grecs, Roumains, Bulgares, Albanais présentaient certes un noyau national mais qui étendait des prolongements dans toutes les directions. Vouloir faire de l'État le porte-parole d'une seule Nation était une aventure qui se révéla difficile.

1. La Serbie entre insurrection et affirmation

Le règne de Miloš Obrenović (1815-1839)

La première révolte des Serbes sous Karageorge avait eu des conséquences importantes, malgré son échec. Elle laissait d'abord dans la mémoire du peuple le souvenir d'une épopée : la Serbie de 1804 à 1813 avait été le premier État national indépendant des Serbes depuis le royaume médiéval, après trois siècles et demi de « joug ottoman ». Sur le plan international, elle avait posé le problème d'une Serbie indépendante dont la mémoire risquait de ressurgir. À l'intérieur, la libération complète du système des fiefs des spahis — les *timars* — et des biens des mosquées — les *vakufs* — avait transformé les paysans exploitants en petits propriétaires libres, soumis seulement à la loi du marché : un statut qui ne fut pas oublié. Dans le domaine politique, l'apparition d'un chef suprême et son opposition aux grands — *knez et vojvodes* — préfigurait les deux tendances d'une monarchie

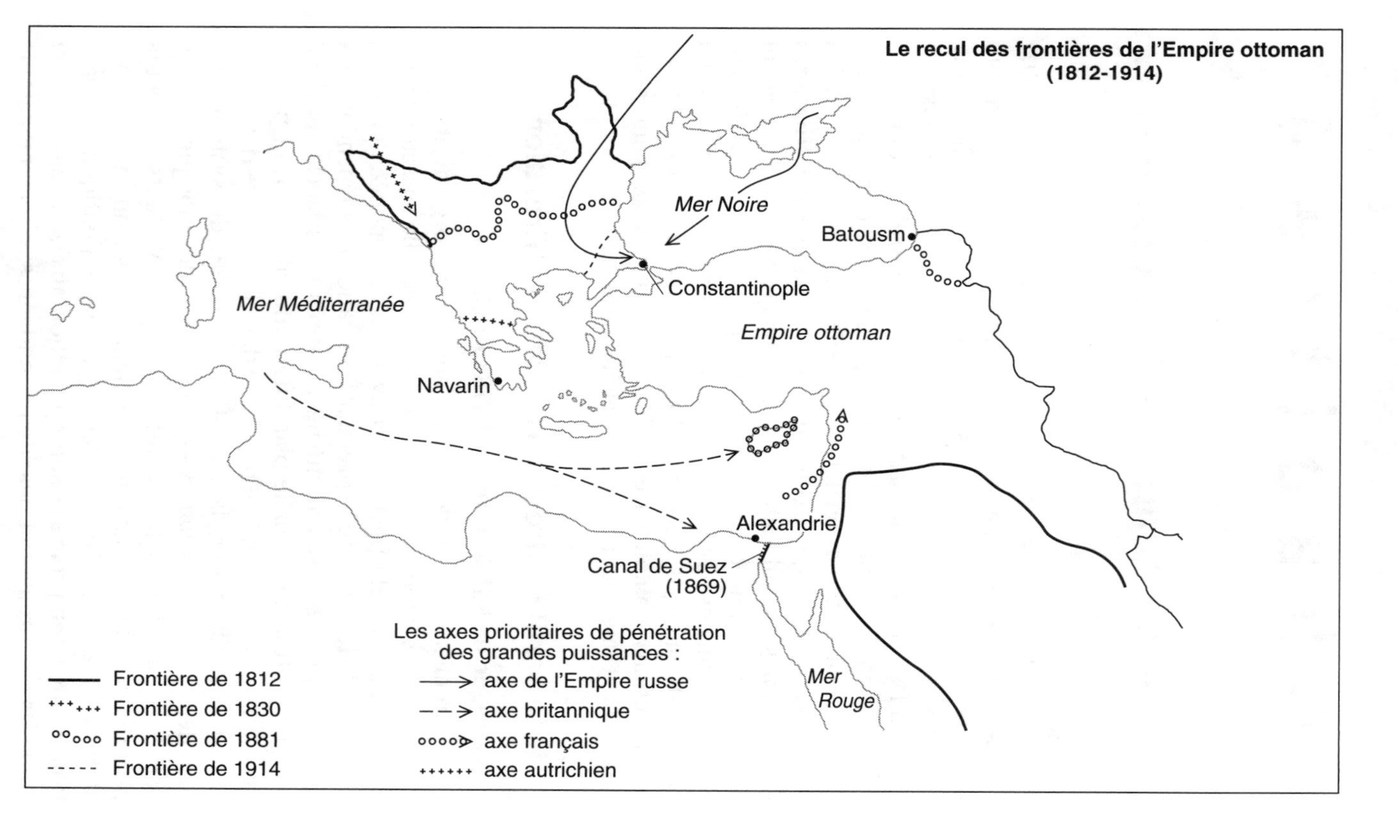

Le recul des frontières de l'Empire ottoman (1812-1914)

centralisatrice et d'un gouvernement décentralisé des notables qui allait marquer l'avenir. Enfin, sur le plan de la culture, les besoins de la guerre, de l'administration et du commerce avaient attiré dans le pays des compatriotes de Hongrie — dont le développement était supérieur ; le plus célèbre d'entre eux, Dosithée Obradović (1742-1811), avait pris en mains en 1806 l'organisation d'un enseignement primaire et l'avait complété en 1808 par la création d'une « Grande École » — *Vekila Škola* —, destinée aux premiers cadres de l'État.

Tout cela n'était pas perceptible immédiatement. La rentrée à Belgrade de l'armée ottomane fut marquée par les habituelles prises de butin : le 17 octobre 1813, mille huit cents femmes et enfants y furent vendus comme esclaves. Le nouveau gouverneur de la ville, Kürchid Pacha, remit en place l'administration de la Porte : le pachalik retrouva ses frontières qui avaient été élargies par Karageorge, ses garnisons de troupes, et les paysans, leurs spahis. À quoi il ajouta une large amnistie pour les opérations de la guerre. Les Serbes étaient divisés. La plupart des fugitifs rentrèrent et de nombreux chefs de la révolte se soumirent. Parmi eux, Miloš Obrenović demanda l'*aman* et devint chef — *knez* — de la région de Rudnik en Šumadja. D'autres, méfiants, avaient enterré leurs armes tandis que ceux restés en Hongrie constituèrent une société secrète pour relancer une insurrection. Les victoires russes sur Napoléon et le Congrès de Vienne provoquèrent des espoirs qui se révélèrent vains. À la fin de 1814, un soulèvement anti-ottoman eut lieu dans la région de Čačak. Miloš Obrenović proposa d'intervenir à condition d'obtenir une amnistie qui fut promise puis violée par le massacre des meneurs. La révolte s'étendit et en avril 1815, les chefs serbes des arrondissements — *nahije* — se réunirent à Takovo, déclarèrent « la guerre aux Turcs » et prêtèrent serment d'obéissance à Miloš.

Le Knez était né en 1780 en bordure de la Šumadja dans une famille modeste. Enfant, il garda les troupeaux de porcs et accompagna les marchands jusqu'en Vojvodine et au littoral de la mer Adriatique : ce furent ses seuls contacts avec le monde extérieur. Il n'eut jamais les loisirs d'apprendre à lire et à écrire et fut, jusqu'à la fin de sa vie, parfaitement illettré. En 1804, il répondit avec son frère Milan à l'appel de Karageorge, mais entra ensuite dans l'opposition au chef suprême. En 1813, il refusa de suivre ce dernier dans son exil en Valachie.

La deuxième insurrection serbe fut de courte durée. À l'appel de Takovo, les paysans déterrèrent leurs armes et coururent sus aux Ottomans ; on parlait alors d'une intervention de « l'Empereur allemand », c'est-à-dire des Habsbourg et d'un retour de Karageorge à la tête de quinze mille cosaques. Miloš arrêta une colonne envoyée contre lui par le pacha de Belgrade tandis qu'une victoire à Palež facilita la contrebande des armes avec l'Autriche. Les insurgés se rendirent maîtres des villes de Kragujevac, Kraljevo, Požarevac et, en juillet, tout le pachalik était libéré, tandis que le vizir de Belgrade restait enfermé dans sa forteresse du Kalemegdan. Menacé par deux armées ottomanes, celle de Roumélie et celle de Bosnie, Miloš demanda secours à l'Autriche qui refusa : Metternich ne voulait pas aider des révolutionnaires ! La Russie était lointaine et le souvenir de son abandon de 1812 était encore vif chez les Serbes. Le Knez se tourna alors vers les Ottomans. Il multiplia les gestes de bienveillance envers les soldats turcs blessés ou prisonniers, échoua dans ses pourparlers avec le pacha de Bosnie mais parvint à un accord avec celui de Roumélie. Protestant de sa fidélité au Sultan et demandant que l'on en revienne à la « paix d'Ičko [1] » refusée, disait-il sur les mauvais conseils de la Russie, il obtint en novembre 1815 d'être reconnu « chef des Serbes » avec le titre de Knez suprême. Il était chargé d'exercer la justice de concert avec les cadis des *nahije* et de prélever les impôts pour le compte du Sultan. Il avait à côté de lui une Chancellerie du peuple — *Narodna Kancelarija* — qui faisait aussi office de Cour d'appel. Purement verbal, cet accord fut complété en 1816 par des édits — *firman* — du Sultan concernant les impôts, les douanes, le commerce, les pouvoirs des knez locaux et l'amnistie des révoltés. Dans ces textes, il n'était pas question de Knez suprême et la Porte ne considérait nullement la Serbie comme un État: comme ailleurs, dans l'Empire, le Sultan accordait des privilèges à ses sujets serbes. Ce fut l'adresse de Miloš d'édifier sur cette base fragile une Serbie autonome.

Quinze années durant, il combina la diplomatie et les *bakchichs* pour y parvenir. Il lui fallut d'abord éliminer une hypothèque. Les Grecs de l'Hétairie préparaient un soulèvement de tous les peuples chrétiens de la péninsule et avaient enrôlé Karageorge en exil en Bessarabie. Il devait entrer en Serbie et celle-ci se révolterait. Miloš, qui avait été contacté, refusa : ses accords avec les Ottomans offraient des possibilités plus réelles à ses

(1) Ci-dessus p. 37.

yeux qu'une nouvelle insurrection quatre années à peine après l'effondrement de Karageorge. Lorsqu'en juin 1817 l'ancien chef suprême mit le pied sur le territoire serbe, il le fit assassiner et envoya sa tête à Istanbul. Ainsi était marquée la ligne de Miloš : maintenir le contact avec Istanbul et obtenir de la Porte un élargissement des privilèges accordés en 1816. En conséquence, en novembre 1817, il réunit une assemblée — *Skupština* — de ses fidèles qui le proclama « knez à titre héréditaire » ; la reconnaissance de ce titre par le Sultan fut désormais l'objectif premier de ses tractations.

LE JEU DES GRANDES PUISSANCES DES BALKANS

Les nations balkaniques ne sont point isolées : leur sort ne dépend pas exlusivement d'elles. Impossible de comprendre la politique interne de ces peuples, qui s'assemblent et se juxtaposent à peine, si l'on oublie le rôle des puissances européennes. Celles-ci furent pour leur jeune croissance des obstacles ou des étais.

Des considérations généralement égoïstes font mouvoir les grandes puissances. De ces mobiles utilitaires on peut chercher à dégager les causes. Que viennent demander aux Balkans les États européens ?

Les Balkans, c'est la croisée des chemins maritimes et terrestres qui vont d'Europe en Asie. Ce devait être la rencontre des États se disputant les carrefours de la Mediterranée orientale : thalassocraties européo-asiatiques, empires continentaux en quête de débouchés sur la mer, les puissances « à intérêts généraux » (ainsi se qualifièrent-elles elles-mêmes en 1919) devaient nier les « intérêts limités » des petits peuples des Balkans ; plus exactement, elles ne les défendirent que dans la mesure où ces intérêts contrecarraient les rivaux. Les Balkans devinrent ainsi un des champs de bataille d'une Europe envahissante. Au XIXe siècle ce fut d'abord l'investissement par des vassaux, que l'on disposait au pourtour ; Grèce anglaise, Roumanies russes, Serbie autrichienne, Bulgarie russe, infructueux essais d'Albanie italienne. Mais ces jeunes États eurent tôt fait de secouer ces tutelles. Ce fut alors, au XXe siècle, par les chemins de fer et les banques, des tentatives de pénétration économique, pour laquelle l'Allemagne se montra supérieurement outillée. Du heurt du *Mitteleuropa* débordant et de la thalassocratie anglaise, alliée pour une fois de l'expansion russe, sortit la guerre de 1914, creuset où se devaient fondre les amalgames des nouvelles nations.

J. ANCEL, *Peuples et Nations des Balkans*, A. Colin, 1941.

L'action de Miloš fut alors soutenue par le tsar Nicolas Ier. En 1826, celui-ci imposa à la Porte la « Convention d'Akkerman » et au traité d'Andrinople (septembre 1829), il exigea une nouvelle fois que les Serbes bénéficient d'une autonomie interne. Sur ces bases, le Knez multiplia les *bakchichs* et ajouta aux clauses prévues l'hérédité de son titre. Le khatti cherif — l'édit — fut prêt en octobre 1830 et lu solennellement à Belgrade le 12 décembre. Miloš Obrenović était reconnu prince héréditaire de Serbie — *Kniaz Srpski* ; il était assisté d'un Conseil dont les membres étaient nommés à vie ; le pacha de Belgrade ne pouvait intervenir dans les affaires intérieures du pays ni modifier les sentences des tribunaux serbes ; les Ottomans ne pouvaient résider en Serbie, sauf dans les garnisons ; le knez avait le droit d'avoir un représentant permanent à Istanbul ; promesse était faite de rendre à la Serbie les frontières de Karageorge. Sans le dire, l'édit de 1830 créait une principauté autonome et héréditaire à l'intérieur de l'Empire. Les Serbes avaient désormais un État.

L'État serbe

En 1833, profitant d'une révolte en Bosnie, Miloš annexa les six *nahije* qui avaient été administrés par Karageorge, faisant passer le territoire de 24 000 à 37 000 km². La même année, le tribut dû au Sultan fut fixé à deux millions de piastres (4 millions de francs-germinal). À l'intérieur il chasse *manu militari* les Turcs des campagnes, abolissant définitivement les timars des spahis. Mais Miloš confondit les revenus de l'État nouveau et sa propre bourse : la perception des impôts, le monopole du sel, les douanes, les terres des timars devinrent propriété personnelle du Knez. On comprend le mécontentement qui se fit jour : des notables se déclarèrent partisans d'une constitution — *Ustav*. Un conflit de huit années, dans lequel intervinrent les Puissances, conduisit à l'abdication du Kniaz le 13 juin 1839, en faveur de son fils Milan.

La Serbie de Miloš Obrenović était une entité politique autonome dont le contenu était serbe, mais le modèle « turc ». Le Kniaz résidait à Kragujevac dans la Šumadja, s'habillant et vivant comme un pacha, entouré de sa famille et des responsables de l'administration qu'il considérait comme ses serviteurs et qu'il n'hésitait pas à faire bâtonner. Toute idée d'une constitution lui était étrangère et l'assemblée — la *Skupština* — qu'il réunit pour annoncer de grandes décisions, n'était que la réunion de notables nommés par lui. Mais le contenu était serbe. Par sa population tout d'abord, puisque l'un des premiers actes de Miloš fut d'expulser les spahis : ne restaient de Turcs qu'une forte minorité à Belgrade, à côté du Kale megdan, à Užice et dans cinq autres forteresses : au total en 1834, peut-être 15 000 sur 670 000 habitants. Serbe, par son administration largement formée de Serbes de Hongrie, par son armée forte en 1834-1835 de 3 000 hommes, par son Église, puisqu'en 1830, le Kniaz obtint la nomination de trois évêques à Šabac, Belgrade, Užice, tous trois serbes et qu'en 1833, il fit élire comme métropolite — archevêque autonome — son propre secrétaire Pavle Jovanović, qui devint Petar, premier chef d'une Église serbe autocéphale à partir de 1836. Serbe, enfin, par sa culture qui, à la traditionnelle culture paysanne, ajouta celle des *Svabo*, ces Serbes du Banat moqués par leurs compatriotes de la Principauté, accourus dans le nouvel État, porteurs des idées, des habitudes et des modes d'Europe centrale, singulièrement de Vienne.

À partir de 1830 exista une Serbie qui fut loin, toutefois, de réunir tous les Serbes.

2. La monarchie d'Othon (1833-1844)

La mise en place du roi

La Guerre d'indépendance des Grecs avait abouti à la création d'un État en avril 1827. Une Assemblée générale réunie à Trezin avait rédigé une Constitution prévoyant un président élu pour sept ans, partageant son pouvoir avec une Chambre des députés. L'Assemblée avait fait appel à Jean Capo d'Istria (1776-1831) qui avait été ministre des Affaires étrangères du tsar et s'était retiré en Suisse en 1822. Il arriva à Nauplie, capitale provisoire, en janvier 1828 et fut chaleureusement accueilli. Mais il se heurta à une vive opposition des notables et des commerçants tandis que l'Angleterre et la France le considéraient comme un agent de la Russie. Il fut assassiné en octobre 1831 et le pays retomba dans une situation d'anarchie.

Les Puissances prirent alors en mains le sort des insurgés. La Russie victorieuse contre la Turquie avait imposé au traité d'Andrinople (septembre 1829) un article 10 prévoyant l'autonomie de la Grèce. Puis elle s'adressa à l'Angleterre et à la France, à l'exclusion de toute participation des Grecs, pour mettre au point le statut de ce pays. Ce fut le traité de Londres (février 1830) qui, selon la volonté de la Grande-Bretagne, décida de l'indépendance du nouvel État et pas seulement de son autonomie, détermina ses frontières et la forme du gouvernement : une monarchie avec une assemblée élue. Le choix d'un roi fut difficile et se porta finalement en mai 1832 — après l'assassinat de J. Capo d'Istria — sur le second fils du roi philhellène de Bavière Louis Ier, Otto, âgé de dix-sept ans seulement.

Appelé sous la forme grécisée Othon, il débarqua à Nauplie le 6 février 1833. Il avait connu à Munich l'atmosphère romantique du philhellénisme, mais ignorait tout de la Grèce. Son père avait confié la présidence de la régence à Joseph von Armansperg (1787-1853) qui avait été ministre et passait pour libéral ; il était assisté du juriste G. von Maurer et du général von Heideck. Avec eux arrivaient des fonctionnaires bavarois destinés à constituer les premiers cadres de l'administration et trois mille cinq cents soldats mercenaires bavarois et russes.

L'organisation de l'État

Entre cette armature d'État allemande et le peuple grec, l'adaptation fut difficile. Le pays était en pleine anarchie. Depuis la mort de Capo d'Istria, trois assemblées nationales s'étaient succédées et avaient échoué, donnant lieu à des heurts entre bandes armées ; dans les campagnes pullulaient des « brigands » depuis les anciens soldats de la guerre jusqu'aux agents des administrations nouvelles. Tout était à construire ou à reconstruire : l'ordre constitutionnel, l'administration, l'armée, l'Église, l'économie. Deux priorités s'imposèrent aux nouveaux dirigeants : se procurer de l'argent pour payer les fonctionnaires et les soldats, rétablir l'ordre dans le pays. On se tourna vers l'Angleterre, la France et la Russie pour obtenir des prêts : la Bavière fut la première à s'exécuter. Pour rétablir la sécurité en Grèce, dix bataillons d'*evzones* s'ajoutèrent aux mercenaires allemands et formèrent la nouvelle armée grecque.

Mais l'appel aux Puissances et la nécessité pour elles de veiller à leurs intérêts au sens strict, les amena à intervenir directement dans la vie politique. Les traditionnelles clientèles de familles de notables se transformèrent en partis politiques qui s'intitulaient eux-mêmes « Parti russe », « Parti français » ou « Parti anglais ». Le premier était le plus ancien, il se réclamait de Capo d'Istria et avait à sa tête Théodore Kolokotronis, l'ancien chef klephte du Péloponnèse ; il soulignait la fraternité religieuse entre la Grèce et l'Empire des tsars et rappelait que la politique de ce dernier avait été une hostilité fondamentale à la Porte. Le « Parti français » avait comme chef Jean Kolettis, qui avait été le médecin du pacha Ali de Janina ; il se réclamait volontiers de la Révolution française et proférait une grande admiration pour Napoléon ; passablement vénal, il attendait beaucoup du gouvernement de Louis-Philippe. Le « Parti anglais » était le plus récent, car Londres fondait sa politique sur la défense de l'Empire ottoman, mais le secrétaire d'État Palmerston avait su attirer Alexandre Mavrocordato, d'une vieille et riche famille phanariote ; instruit et ambitieux, ce dernier voulait introduire dans son pays le modèle anglais pour en faire un État moderne. Animés et poussés par les ambassadeurs des Puissances, ces partis menèrent des combats qui n'étaient pas toujours les leurs. Dès le début, la vie politique s'organisa sur des bases qui n'étaient pas saines.

L'organisation de l'administration paraissait particulièrement urgente. En 1828, Capo d'Istria avait divisé le territoire en *éparchies*, mais avait mis à leur tête des phanariotes qui n'avaient pas pu s'imposer. Les Régents créèrent dix provinces, subdivisées en éparchies et en dèmes dont les responsables étaient nommés par le pouvoir central. Un ministère des Affaires intérieures fut organisé. Ainsi se développa une administration étrangère au peuple grec qui avait eu l'habitude sous les Ottomans d'être soumis à ses notables, titulaires héréditaires des charges communales ou régionales. Aussi éloignés des populations que les beys d'autrefois, les nouveaux fonctionnaires dominaient une société grecque structurée en clans familiaux, avec leur code d'honneur et leurs vendettas. Le problème de l'efficacité de l'administration et de sa prise réelle sur le peuple fut un des problèmes durables de l'État grec.

La remise en ordre de l'Église était d'autant plus délicate que les Régents n'étaient pas orthodoxes : le roi et von Armansperg étaient catholiques, le juriste von Maurer protestant et fils de pasteur. Or l'Église grecque était séparée du Patriarche de Constantinople qui depuis 1821 avait excommunié toute la hiérarchie à la demande du Sultan ; durant les années de la guerre, le désordre le plus complet y avait régné. L. von Maurer élabora un règlement qu'il soumit à une assemblée des évêques. L'Église grecque devenait une Église autocéphale administrée par un synode dont les membres étaient nommés par le roi. On supprima les monastères de moins de dix membres et l'on transféra leurs biens à l'État pour assurer le traitement des ecclésiastiques et les œuvres d'éducation. Il resta quatre-vingt deux couvents d'hommes et trois de femmes. Le Patriarche œcuménique refusa de reconnaître l'autocéphalie et de nombreux tiraillements déchirèrent le clergé. Le conflit dura jusqu'en 1850. On aboutit alors à un *tomos* d'union avec Constantinople, et une loi grecque de 1852 confia l'autorité suprême de l'Église au synode présidé par le métropolite d'Athènes et non plus par le roi.

L'un des problèmes les plus complexes était le sort des terres dites « nationales », c'est-à-dire provenant de la propriété ottomane, *timar*, *tchiflik*, *waqf*, qui avaient été abandonnées par leurs titulaires en fuite ou massacrés pendant la Révolution. Elles représentaient à peu près le tiers du sol cultivable de la Grèce indépendante. Dès qu'elles furent vacantes, beaucoup avaient été occupées par des paysans ou des chefs militaires. Le nouvel État se contenta d'abord d'exiger des occupants le paiement de la dime en nature, car le système de perception n'existait pas encore. Une loi de 1835 permit l'installation de familles d'anciens combattants pauvres, mais l'application en fut lente et entachée de favoritisme. En 1862, encore, l'État possédait 35 % des terres arables du pays.

En 1835, Othon fut proclamé majeur et transféra sa capitale à Athènes ; l'année suivante, il épousa Amélie d'Oldenburg, une protestante qui ne lui donna pas d'enfant. Il résolut alors de gouverner lui-même, mais il se heurta aux notables — militaires et civils — qui n'acceptaient pas d'avoir été écartés du pouvoir par le Bavarois. De plus, la situation financière empira : en 1842, un Français fut nommé pour contrôler les finances du pays et ordonna des économies, en particulier aux dépens de l'armée. Celle-ci fit un coup d'État — premier d'une longue série : le 3 septembre 1843, elle marcha sur le palais, obligea le roi à confier le gouvernement à André Metaxas, chef du Parti russe et à promettre la convocation d'une assemblée afin de rédiger une constitution. Cette assemblée qui comprenait des députés des territoires encore ottomans — Thessalie, Épire, Macédoine — s'intitula « Assemblée nationale » et, suivant les conseils de Guizot et de Robert Peel, vota une constitution laissant au roi de larges pouvoirs mais mettant à ses côtés une Chambre des députés élue à un large suffrage et un Sénat inamovible nommé par le souverain. Ce fut le début de la « période constitutionnelle » du règne d'Othon.

L'État grec avait désormais ses bases, mais continuait, plus que jamais, à se réclamer de la « Megale Idea ».

3. L'Union des Roumains (1859)

La tutelle ottomane

À la différence des autres peuples chrétiens des Balkans, les Roumains conservèrent, pendant la période ottomane, deux États : la Valachie et la Moldavie. Jusqu'au XVIIIe siècle, leur souveraineté fut limitée par les accords de vassalité envers le Sultan prévoyant le paiement du tribut, l'obligation de fournir éventuellement des hommes pour les guerres, les livraisons obligatoires, soit gratuites, soit à un prix fixé par la Porte, de marchandises pour le ravitaillement d'Istanbul. À partir des années 1711-1715, la « période phanariote » marqua une mise en tutelle plus complète. Le prince, — *hospodar* — était désigné par la Porte à qui il achetait sa charge et le choix portait sur une douzaine de familles grecques ou grécisées du Phanar : le Sultan le considérait comme un gouverneur de province nommé, déplacé ou révoqué suivant sa volonté. Les armées des Principautés disparurent, réduites à quelques milliers de mercenaires pour l'ordre intérieur et la garde des frontières ; l'alignement sur la politique extérieure de l'Empire ottoman était, en principe, complet.

Cet état de choses dura jusqu'en 1822. Après l'échec du soulèvement du Tudor Vladimirescu (1821), les armées ottomanes occupèrent les Principautés. Au bout de seize mois, et avec l'appui du tsar Alexandre Ier, les boyards négocièrent avec Istanbul et obtinrent en avril 1822 le rétablissement de princes autochtones et l'exclusion des Grecs des fonctions civiles et religieuses : on était au début de la guerre d'Indépendance de la Grèce.

À partir de ce moment, des boyards poussés par la Russie réclamèrent des réformes. En 1826, la convention d'Akkerman entre St-Petersbourg et Istanbul, puis la paix d'Andrinople (septembre 1829) qui mit fin à la guerre russo-turque relative à l'indépendance de la Grèce, fixèrent la frontière de la Valachie sur le Danube, prévoyèrent l'élection à vie de hospodars, proclamèrent la liberté de commerce et la libre navigation sur le Danube.

Les « Règlements organiques » de 1830

L'occupation des Principautés par les armées russes permit au gouverneur, le comte P. Kisseleff, de faire élaborer les « Règlements organiques » de 1830. Il s'agissait de véritables constitutions qui donnaient aux deux États des structures identiques. Sur le plan politique, ils introduisaient la séparation des pouvoirs. Le prince était élu à vie par « l'Assemblée générale extraordinaire » formée des boyards, du haut clergé et de quelques commerçants ; il gouvernait avec un Conseil administratif de six ministres : Intérieur, Finances, Justice, Cultes, Guerre et secrétariat d'État. Le pouvoir législatif appartenait à « l'Assemblée générale » de quarante-deux députés en Valachie, trente-cinq en Moldavie ; présidée par le métropolite, elle votait le budget mais ne pouvait déposer le prince. L 'administration provinciale était confiée à des préfets. Sur le plan social, le maître de la terre était pour la première fois désigné comme « propriétaire » ; il pouvait procéder à une sorte de triage : il avait l'absolue disposition d'un tiers du sol, tandis que les deux autres tiers étaient réservés aux paysans sous la forme de tenures grevées de douze jours de corvée par an. Ce fut le début de l'économie capitaliste dans les campagnes : on assista à d'importants défrichements paysans et au développement de la culture du blé.

Chronologiquement, ces Règlements organiques de 1830, précédant les Constitutions de Serbie (1838) et de Grèce (1844) s'inspiraient assurément de la pensée politique occidentale : paradoxe pour un haut fonctionnaire russe nommé par le tsar conservateur Nicolas Ier. Comme la Monarchie de Juillet en France, ils affirmaient la prépondérance des possédants face au pouvoir du prince, mais aussi face à la majorité du peuple. Ils apportaient aussi une innovation d'avenir : en établissant un régime identique dans les deux États, ils facilitaient le progrès de l'idée de leur union.

1848 et la marche vers l'Union

La combinaison de cette modernisation avec le protectorat russe — étranger — accéléra la prise de conscience d'un sentiment national unitaire qui se développa chez les petits boyards et dans la bourgeoisie en formation depuis l'établissement de la liberté de commerce. Les uns et les autres avaient pris l'habitude d'envoyer leurs fils étudier en Occident, en France en particulier. Entre 1835 et 1846 arrivèrent à Paris Ion Ghica, C.A. Rosetti, Nicolae Kretzulescu, Alexandre Ioan Cuza, Nicolae Balcescu qui formèrent autour de Lamartine, Michelet et Edgar Quinet un « Cercle révolutionnaire roumain » appelé aussi « Cercle du

Collège de France ». Ils rêvaient d'un État unifié de Moldavie-Valachie, indépendant de la Russie comme de l'Empire ottoman, doté d'un gouvernement constitutionnel semblable à celui de la France de Louis-Philippe. Mais leur romantisme s'accompagnait d'une grande méconnaissance du peuple roumain, en particulier du monde paysan.

PÉTITION ADRESSÉE AU GOUVERNEMENT DE VIENNE PAR LES ROUMAINS DE TRANSYLVANIE RÉUNIS À BLAJ (BALAZSFALVA) LE 4 MAI 1848

« La nation roumaine, se fondant sur les principes de la liberté, de l'égalité et de la fraternité, revendique son indépendance nationale en matière politique, afin de figurer nommément en tant que nation roumaine. Que la nation roumaine ait ses représentants dans la diète du pays [1], proportionnellement à son nombre ; qu'elle ait ses délégués dans toutes les branches de l'administration, de la justice et de l'armée, dans la même proportion ; qu'elle puisse user de sa propre langue dans toutes les questions la regardant, tant en matière législative qu'administrative. »

Le deuxième point revendiquait l'autonomie ecclésiastique : l'indépendance à l'égard du Primat catholique romain d'Esztergom et à l'égard du métropolite serbe de Karlowitz, ainsi que le rétablissement du synode appelé à élire les évêques et le chef de la Métropolie roumaine.

« La Nation roumaine, s'élevant à la conscience des droits individuels de l'homme, demande l'abolition sans retard du servage, sans dédommagement de la part des paysans-serfs... De même, la suppression des dîmes comme étant une contribution fiscale anti-économique. »

« La Nation roumaine demande que les autres nations qui cohabitent avec elle en Transylvanie ne soulèvent pas la question d'une union avec la Hongrie, avant que la nation roumaine ne soit reconnue en tant que nation constituée et organisée, ayant vote délibératif et décisoire à la diète. Mais si, par contre, la diète de Transylvanie se laissait entraîner, en notre absence, à discuter le problème qui nous touche directement, alors la nation roumaine proteste solennellement. »

1. La Transylvanie

Ces idées éveillèrent toutefois des échos dans les milieux urbains. À partir de 1838, on vit se fonder en Moldavie et en Valachie des sociétés secrètes, telle la *Fratia* (Fraternité) de Bucarest.

On assista en même temps à un réveil de la vie culturelle. Les premiers journaux avaient vu le jour en 1829 sous le régime russe ; puis parurent en 1837 le quotidien de Bucarest la *Roumania* qui s'adressait aux lecteurs de toutes les régions roumaines, tandis qu'en 1840, Kogalniceanu publiait à Iaşi la *Dacie littéraire*, importante pour la pensée politique comme pour l'essor de la littérature. Dans la capitale moldave se développait en outre une activité théâtrale de caractère nettement patriotique.

La révolution parisienne de 1848 toucha les pays roumains. L'effervescence commença en Moldavie par une grande réunion publique, le 8 avril : Alexandre Cuza et l'historien Kogalniceanu présentèrent au prince une pétition-programme réclamant les libertés individuelles, la responsabilité ministérielle, l'organisation d'une milice, la suppression de la censure, la fondation d'une banque nationale, rien par contre sur les paysans, pas davantage sur l'indépendance ou l'union des Principautés. En somme, un décalque du modèle français auquel les anciens « Parisiens » faisaient référence. Le prince réagit avec brutalité, fit arrêter treize leaders et de nombreux manifestants. L'agitation avait duré trois jours.

En Valachie eut lieu une véritable révolution. Les leaders Balcescu, Bratianu, Rosetti, qui venaient de rentrer de Paris, adoptèrent à Bucarest un programme en vingt-deux points proche de celui de la Moldavie mais y ajoutèrent l'émancipation des paysans corvéables et la distribution de terres en leur faveur. Le 21 juin, à Islaz sur le Danube, une foule nombreuse adopta une « proclamation » réclamant l'abolition du protectorat étranger, l'élection du prince pour cinq ans, l'émancipation des Juifs. Un gouvernement fut constitué et le 27 juin, une grande assemblée populaire adopta le drapeau tricolore bleu-jaune-rouge, supprima les titres de noblesse, créa une garde nationale et abolit la peine de mort. On mit en place une commission pour examiner l'émancipation des paysans et on lança une proclamation « À nos frères de Moldavie ». Mais le tsar condamna l'idée de l'Union, tandis que le 25 septembre les troupes ottomanes pénétraient à Bucarest. Les révolutionnaires prirent le chemin de l'exil.

Saint-Petersbourg et Istanbul décidèrent le rétablissement d'un ordre constitutionnel : elles nommèrent d'un commun accord des hospodars. Pendant la guerre de Crimée (1854-1856), les patriotes roumains intéressèrent Napoléon III à leurs projets : le congrès de la Paix de Paris prévoyait la rétrocession par la Russie de la partie sud de la Bessarabie, annexée en 1812, la suppression du protectorat russe, mais le maintien de la suzeraineté ottomane, la liberté de navigation sur le Danube et la révision des statuts organiques. Les patriotes furent déçus car les Principautés demeuraient séparées en dépit d'une prise de position en faveur de l'Union, du comte Walewski, ministre français des Affaires étrangères. En février et mars 1857 se constituèrent des « comités électoraux de l'Union » pour préparer les élections aux divans chargés de la révision des statuts. Les élections, en juillet, furent un triomphe pour les Unionistes.

Les deux assemblées — divans *ad hoc* — travaillèrent de septembre à décembre 1857. Le moldave Kogalniceanu présenta un projet de résolution d'Union des deux Principautés en un seul État nommé Roumanie ; ce serait une monarchie constitutionnelle à la tête de laquelle on mettrait un prince étranger ; son indépendance serait garantie par les Puissances. Le texte fut voté par 81 voix contre deux. À Bucarest, Kretzulescu présenta une résolution identique: elle recueillit l'unanimité des voix. C'était contraire aux stipulations du Congrès de Paris. Napoléon III intervint et convoqua une conférence des Puissances. Un nouveau statut fut concédé aux Principautés : elles formaient désormais les « Principautés unies de Moldavie et de Valachie », chacune avec un prince autochtone, un gouvernement et une assemblée élue, mais avec une cour de justice commune.

Déçus une nouvelle fois, les Unionistes réagirent : les deux assemblées prévues ne furent constituées que de partisans de l'Union. Le 17 janvier 1859, à l'unanimité, l'Assemblée de Moldavie élut au trône le colonel Alexandre-Ioan Cuza et le 5 février l'Assemblée de Valachie, également à l'unanimité, désigna comme prince le même Alexandre-Ioan Cuza. L'Union était réalisée *de facto*. Napoléon III intervint pour la faire accepter par les Puissances.

Les Roumains avaient désormais un État dont ils devaient faire, dans ses structures, un État unitaire. Restaient les Roumains de la Transylvanie qui avaient participé au « Printemps des peuples » de l'Autriche et vers lesquels regardaient certains patriotes de la Roumanie nouvelle.

4. La naissance de la Bulgarie

La naissance de l'État bulgare rappelle celle de l'État grec : un mouvement national aspirant à l'indépendance, une guerre d'une Puissance contre l'Empire ottoman, un traité international qui crée un État.

L'affirmation d'une nation

Le mouvement national bulgare s'est développé à partir des années vingt du XIXe siècle : le célèbre ouvrage de Paisij de Hilendar *L'histoire slavo-bulgare*, écrit en 1762, avait été publié au début du siècle, des écoles furent ouvertes dans la décennie qui suivit, les premières revues parurent en bulgare à la veille des événements de 1848. La raison fondamentale en était le relatif progrès économique de l'Empire ottoman à l'époque du Tanzimat qui permit le développement d'une bourgeoisie en liaison avec une diaspora marchande.

Le premier acte de l'indépendance fut la lutte contre l'Église grecque pour une liturgie slavonne. Depuis la suppression de l'autocéphalie du siège d'Ohrid en 1767 s'était réalisée une hellénisation complète du haut-clergé. De là des tensions qui s'exprimèrent par exemple en 1833 par une pétition au Patriarche œcuménique des habitants de Samokov, demandant un évêque bulgare à la place du titulaire grec. À Istanbul se trouvait une riche et nombreuse colonie bulgare. En 1839 y arriva un moine disciple de Paisij qui commença à réclamer la célébration d'une liturgie slavonne. Il fut appuyé par Ilarion Makariopolski (1812-1875), issu d'un gymnase grec. À coups de *bakchichs*, ils obtinrent en 1849 l'autorisation de célébrer cette liturgie dans leur église. Appuyé par les représentants du tsar auprès de la Porte, l'évêque Ilarion se résolut à frapper un grand coup. À l'office solennel de Pâques, le 3 avril 1860, il omit de prononcer le nom du Patriarche : c'était rompre avec l'Église de Constantinople et rejeter l'autorité de son chef. Ilarion fut aussitôt excommunié et exilé en Asie Mineure, tandis qu'un mouvement populaire se manifestait dans les villages bulgares : on se battit pour un pope grec ou un pope bulgare. La solution vint des Puissances. Se fondant sur le traité de Paris de 1853 et l'édit — *Khatti hümâyun* — de 1856 qui promettait une fois de plus l'égalité entre chrétiens et musulmans, le comte Ignatiev, ambassadeur russe, appuya les demandes des Bulgares. En mars 1870, le sultan Abd ül Aziz promulgua un firman créant « l'Exarcat bulgare », c'est-à-dire une Église autocéphale dont le chef, l'Exarque, résidait à Istanbul ; il avait autorité et juridiction sur tous les Bulgares à l'intérieur comme à l'extérieur de l'Europe. Ce fut une étape capitale de la Renaissance.

Dans ce contexte, un certain nombre de patriotes posèrent clairement le problème de l'indépendance d'un État. Ce fut le cas de Georges Rakovski, de Vassil Levski, de Ljuben Karavelov, de Christo Botev. Ils créèrent à Bucarest un comité central qui provoqua un soulèvement que l'on appelle « l'Insurrection d'avril », en 1876. Il ne dura que quelques jours mais provoqua une répression des *bachi-bouzouk* qui fut dénoncée au Sénat français par Victor Hugo tandis que Gladstone les stigmatisait dans une brochure : les « atrocités bulgares » devinrent un problème européen. Les Puissances proposèrent une conférence internationale à Istanbul que le Sultan interrompit en octroyant une constitution à ses sujets. Finalement la Russie déclara la guerre à la Porte en avril 1877. Les armées du tsar, arrêtées pendant l'été devant la forteresse de Pleven s'en emparèrent en octobre et arrivèrent à Andrinople où un armistice fut conclu.

La « Principauté de Bulgarie »

Les deux adversaires signèrent le traité de San Stefano [(2)] le 3 mars 1878. Il prévoyait essentiellement la création d'une grande Bulgarie comprenant le plateau au nord du Balkan jusqu'au Danube, la Thrace jusqu'à Andrinople, la Macédoine avec Üsküb (Skopje), Ohrid, Dibar et Korça en pays albanais, Kostor (Kastoria) en pays grec et un large débouché sur la mer Egée de la Maritza à Salonique qui restait toutefois ottomane. Cette paix provoqua de vifs mécontentements, en particulier de l'Angleterre qui voyait la Russie désormais maître des Balkans. Le chancelier Bismarck, soucieux de l'équilibre européen, proposa une Conférence internationale à Berlin en juin 1878. Les Puissances tracèrent une nouvelle carte de la Péninsule. Pour les pays bulgares, la Grande Bulgarie de San Stefano fut divisée en deux : au nord du Balkan la « Principauté de Bulgarie », capitale Sofia, autonome mais tributaire du Sultan, au sud la « Roumélie orientale », semi-autonome avec un gouverneur chrétien choisi par la Porte ; le reste, Thrace et Macédoine, demeuraient des

(2) Aujourd'hui Yesil Köv, l'aéroport d'Istanbul.

territoires ottomans. Les Bulgares avaient désormais un État et formaient une province privilégiée de l'Empire du Sultan. Les patriotes furent déçus et jusqu'à nos jours encore, considèrent que le traité de San Stefano fut un traité juste : à Sofia et dans plusieurs villes, des noms de rues le rappellent.

Les Puissances avaient confié aux Russes le soin d'organiser la Principauté. Pendant les neuf mois d'occupation militaire, le prince Dondukov, commissaire du tsar, jeta les bases de l'administration et de la justice. Un projet de constitution fut soumis, à Tarnovo, à une assemblée de notables dont un tiers avait été élu et deux tiers désignés. Elle se divisa en « conservateurs » partisans d'un exécutif fort et « libéraux » voulant un pouvoir législatif étendu. Les seconds l'emportèrent : « la Constitution de Tarnovo » introduisit le suffrage universel et fut très libérale pour l'époque. Elle élut à l'unanimité comme prince le candidat proposé par Saint-Petersbourg, Alexandre de Battenberg (1857-1893), neveu de la tsarine, qui fit son entrée solennelle à Sofia en juillet 1879. Les troupes russes se retirèrent alors, laissant de nombreux conseillers civils et militaires et dans la mémoire collective des bulgares le souvenir de tuteurs bienveillants, après avoir été les libérateurs.

Dans la « Province de Roumélie », le statut fut élaboré par les Puissances. Mais alors que l'Angleterre et l'Autriche-Hongrie n'envisageaient qu'une autonomie administrative, la Russie poussait à l'organisation d'un second État bulgare. En définitive, on décida que le gouverneur chrétien serait nommé par la Porte mais avec l'approbation des Puissances ; il serait assisté d'un conseil de six membres et d'une assemblée dont les deux tiers seraient élus. La Principauté, vassale, paierait au Sultan un tribut de 245 000 livres.

Le mouvement unioniste fut encouragé par les premières élections, en octobre 1879 : sur trente-six mandats, elles en donnèrent trente-un aux Bulgares, trois aux Grecs et deux aux Turcs. Le prince Alexandre se débattait alors dans des coups de force contre ses conseillers russes ou contre l'Assemblée à majorité libérale. En 1881, il suspendit la Constitution et se brouilla avec son protecteur le tsar Alexandre III. Il vit dans l'Union un moyen de raffermir son autorité. Il prit donc contact avec le « Comité révolutionnaire secret » de Plovdiv, présidé par l'écrivain Zacharie Stojanov et avec des officiers. Le 18 septembre 1885, les conjurés arrêtèrent et expulsèrent le gouverneur, un gouvernement provisoire fut installé et un télégramme expédié au Prince Alexandre. Celui-ci accourut à Plovdiv où il fut accueilli triomphalement. Une conférence des ambassadeurs des Puissances à Istanbul reconnut « l'union personnelle » de la Bulgarie et de la Roumélie, moyennant de petites rectifications de frontières par la convention de Tophané [3] (avril 1886).

L'État bulgare existait avec des frontières stabilisées jusqu'en 1912 et devenait le plus grand des pays balkaniques avec 96 000 km² et plus de trois millions d'habitants. À l'intérieur, il conservait bien des caractères du système ottoman : par sa population d'abord, quelque six cent mille Turcs, c'est-à-dire musulmans, par des pratiques de l'administration ensuite : maintien de la dime jusqu'en 1902, tradition de violence et de corruption et par des habitudes de la vie quotidienne et de la culture. Le nationalisme bulgare s'affirmait dans la vie politique et regardait vers la Macédoine et la Thrace où se trouvaient des populations qu'il affirmait être bulgares.

5. La création de l'Albanie

De l'autonomie à l'indépendance

L'échec de la Ligue de Prizren (1881) a marqué pour les Albanais la fin d'une première étape sur la route de la conquête d'un État. Depuis les années soixante-dix avait été lancée l'idée d'une « autonomie » à l'intérieur de l'Empire ottoman. En novembre 1878, l'assemblée de la Ligue adopta un programme réclamant l'union des provinces albanaises en un *vilayet* unique dans lequel la langue albanaise serait celle de l'administration et de l'enseignement. Le Congrès de Berlin fit la sourde oreille et Bismarck déclara : « Il n'y a pas de nationalité albanaise. » L'intervention sur le terrain des forces de Dervich Pacha mit un terme à cette tentative. Le leader Abd ül Frashëri fut arrêté, condamné à mort puis gracié ; malade, il mourut en 1892.

Le mouvement autonomiste reprit à propos des affaires de Macédoine qui intéressaient des villes albanaises comme Dibar ou Struga. Une « assemblée » de plusieurs centaines de personnes se réunit à Peja (1897), mais elle manifesta des divergences sur le degré d'autonomie tandis qu'en 1905, une société secrète « Pour la

(3) Quartier au nord de Galata

libération de l'Albanie » fut créée à Monastir et mit sur pied des groupes armés, les *Tcheta*, qui s'attaquèrent aux Ottomans. La Révolution jeune turc (juillet 1908) et la constitution promulguée par le Sultan fut accueillie avec enthousiasme, des clubs patriotiques se formèrent, des journaux parurent, des écoles s'ouvrirent. Vingt-six députés albanais furent élus au Parlement d'Istanbul, dont Ismaïl Qemal (1844-1919), député de Berat. Mais les rapports se dégradèrent vite, les Jeunes Turcs pratiquant une politique nationaliste. En 1912, une révolte éclata dans la région de Djakovo (Đakovica) que I. Qemal et son collègue H. Prishtina s'efforcèrent d'étendre à tout le pays albanais. Le déclenchement de la Première Guerre balkanique (octobre 1912) conduisit I. Qemal à prendre une grande initiative ; d'Istanbul, il partit pour Vienne afin de s'assurer de la bienveillance de l'Autriche-Hongrie, puis par Trieste, débarqua à Durrës et, accompagné d'un groupe de patriotes, se rendit à Vlora. Là, le 28 novembre 1912, devant une « Assemblée nationale » réunissant quatre-vingt-trois délégués, il proclama l'indépendance de l'Albanie et la formation d'un gouvernement provisoire ; le drapeau national de Skaderbeg fut hissé et les Puissances comme les pays balkaniques avertis de la proclamation de cette indépendance.

En fait, l'autorité du gouvernement d'Ismaïl Qemal était limitée au triangle Vlora-Berat-Lushnja et son chef dut aller à Londres où s'organisait la Conférence des ambassadeurs destinée à régler les problèmes des Guerres balkaniques. Grâce à l'action de l'Autriche-Hongrie et de l'Italie et en dépit de la résistance de la Russie protectrice de la Serbie, en juillet 1913, la Conférence reconnut l'Albanie « Principauté souveraine héréditaire et neutre sous la garantie des grandes Puissances ». On prévoyait également qu'une commission internationale composée de représentants des Puissances et d'un Albanais serait chargée de mettre sur pied les organismes de l'État nouveau. Quant aux frontières, elles tinrent compte des résultats des Guerres balkaniques : elles englobèrent 28 000 km^2 et 800 000 habitants, laissant à l'extérieur la région de Kosovo donnée à la Serbie et la Çameria (Épire du sud) donnée à la Grèce.

Depuis le mois de mai 1913, la Turquie avait renoncé à tous ses droits sur l'Albanie et le gouvernement de I. Qemal avait pu devenir premier gouvernement de l'État albanais. Mais son autorité fut contestée par des féodaux et une commission internationale de contrôle prit en mains l'administration provisoire. Au

Les crises de 1912-1913 et l'effacement du « vieil homme malade ».
RUSSIE
AUTRICHE-HONGRIE
Danube
ROUMANIE
Bucarest
BOSNIE-HERZÉGOVINE
Belgrade
SERBIE
Sarajevo
Mer Noire
BULGARIE
MONTÉNÉGRO
Sofia
Cétinié
Scutari
Andrinople
Mer Adriatique
Skoplje
THRACE
Constantinople
ALBANIE
ITALIE
MACÉDOINE
Salonique
ÉPIRE
EMPIRE OTTOMAN
Mer Égée
GRÈCE
Mer Ionienne
Smyrne
Athènes
DODÉCANÈSE 1912
Mer Méditerranée
Rhodes
Crète
Les pertes de la Turquie
Annexion de la Bosnie-Herzégovine par l'Autriche-Hongrie en 1908
Au profit de l'Italie en 1912
La première guerre balkanique en 1913
Serbie et annexions
Grèce et annexions
Empire ottoman en 1914
Indépendance de l'Albanie
Roumanie et annexions
Monténégro et annexions
Bulgarie et annexions

mois de décembre 1913, les Puissances choisirent comme prince pour le trône d'Albanie Wilhelm von Wied (1876-1945), officier prussien, neveu de la reine de Roumanie. Il arriva à Durrës sur un navire austro-hongrois escorté d'unités italiennes, anglaises et françaises. Tout à fait ignorant des réalités du pays, il allait régner six mois. Il s'entoura de féodaux albanais tel Esad Toptani qui devint ministre de la Guerre et de l'Intérieur, auxquels il adjoignit quelques experts allemands, autrichiens, italiens ou anglais.

L'Albanie entre les Puissances

Le premier problème fut celui des frontières contestées par les Grecs. Un « gouvernement provisoire de l'Épire du Nord » avait été constitué par J. Zographos, ancien ministre d'Athènes, avec lequel le prince dut conclure un compromis : les régions d'Argiro Kastro (Gjirokastër) et Koritza (Korça) bénéficiaient d'une administration spéciale. Les patriotes albanais de ces régions en furent choqués. À l'intérieur, les paysans de la région centrale exploités par les féodaux se révoltèrent : Esad Toptani qui les avait encouragés fut arrêté et expulsé en Italie, mais l'agitation continua dans les campagnes. Quand éclata la Première Guerre mondiale, le prince proclama sa neutralité, mais son autorité se limitait alors aux deux villes de Durrës et de Vlora. L'Autriche-Hongrie lui retira la subvention de soixante-quinze millions qu'elle assurait au budget et von Wied, sans argent, n'eut plus qu'à se rembarquer le 3 septembre 1914. L'indépendance de l'Albanie devenait problématique.

Pendant la Grande Guerre, les Alliés, pour attirer dans leur camp l'Italie restée neutre, lui permirent, par le traité de Londres (avril 1915), de mettre la main sur Vlora (Valona) et son interland, ainsi que sur l'île de Sazan (Saseno). La Serbie, de son côté, fit appel à Esad Toptani qui rentra à Durrës, mais se heurta à une opposition ; il appela l'armée de Belgrade qui occupa Tirana et Skodra. L'offensive austro-hongroise d'octobre 1915 contre la Serbie amena l'effondrement de celle-ci : l'armée du roi Pierre Ier fit une difficile retraite à travers les montagnes albanaises. En quelques semaines, les troupes austro-hongroises occupèrent toute l'Albanie centrale et du nord, tandis que les Italiens s'étendaient dans le sud. De leur côté, les Français de l'Armée d'Orient occupèrent Korça où ils laissèrent s'installer une administration albanaise s'intitulant « Province autonome », dont le chef Th. Germenji, accusé ensuite d'espionnage au profit des Autrichiens, fut fusillé à Salonique. En 1918, les Austro-Hongrois se retirèrent, remplacés par les Italiens. L'Albanie sortait de ces années de guerre ruinée et chaotique.

Il fallait reconstruire l'État créé sur le papier en juillet 1913. Dans le pays, toujours occupé, des comités se créèrent qui furent en contact avec des organisations analogues fondées à l'étranger par des émigrés. Aux États-Unis, l'évêque Fan Noli anima l'association *Vatra* — le Foyer — qui sut intéresser le président W. Wilson. Plusieurs candidats, dont E. Toptani, intriguaient à Paris pour constituer un gouvernement albanais. Les Italiens acceptèrent la réunion d'un congrès à Durrës (décembre 1918) pour présenter les vœux de la population à la conférence de la Paix : il désigna un gouvernement à qui il donna mandat de défendre l'indépendance et l'intégrité du pays. Resté en charge durant l'année 1919, cet organisme se heurta aux militaires italiens qui désignèrent un « Haut Commissaire » pour le surveiller. À la conférence de la Paix qui s'ouvrit à Versailles en janvier 1919, les grandes puissances et les États voisins — Serbie et Grèce — s'opposèrent sur les problèmes de l'Albanie. Mécontents de ces discussions et de la présence italienne, des patriotes réunirent à Lushnja, en janvier 1920, un nouveau congrès. Il affirma solennellement la volonté de constituer un État indépendant, élabora les principes d'une constitution et nomma un nouveau gouvernement présidé par S. Delvina, ancien compagnon d'Ismaïl Qemal. Les organes du pouvoir se transportèrent à Tirana qui devint ainsi la capitale.

Le gouvernement Delvina parvint à faire évacuer Korça et sa région par les Français, tandis que les Italiens essayèrent de résister à Vlora, d'où ils furent chassés par des volontaires après de vifs combats. L'Italie ne gardait que l'île de Saseno (Sazan). L'Albanie avait désormais un gouvernement ayant effectivement autorité sur la majeure partie du territoire délimité par la conférence de Londres de 1913. C'était la condition nécessaire pour une reconnaissance en droit international : Fan Noli vint la plaider à Genève et la SDN admit l'Albanie en décembre 1920.

Les Albanais avaient désormais un État dont il restait encore à préciser la frontière avec la Grèce et la Yougoslavie — ce qui fut fait par l'accord de La Haye d'août 1925. Ils avaient surtout à organiser une société moderne, ce que les soubresauts politiques ne permirent de faire ni pendant l'entre-deux-guerres, ni après.

Chapitre 5

— Les modèles et les forces de la vie politique (1918-1945) —

La formation des États balkaniques s'était faite au XIXe siècle sous l'influence des Puissances, Russie, Autriche, France, Angleterre, puis Allemagne. Elles avaient agi par leur diplomatie, intervenant pour marquer ce qui fut, de crise en crise, le recul de l'Empire ottoman. Elles agirent aussi par les « modèles » qu'elles proposèrent à ces peuples désireux, suivant l'expression des habitants de la Šumadja, de vivre dans des États « baptisés et réglés », unissant les règles de la vie politique internationale et les pratiques policées de la vie quotidienne. Suivant les peuples et leurs aventures particulières, on vit des Serbes passer du modèle « turc » sous Miloš Obrenović, au modèle français sous Pierre Ier Karageorgević, les Grecs, du modèle russe de la *Philiki Hetaira* au modèle anglais du roi Georges Ier, les Roumains, du modèle russe des « Règlements organiques » du général comte P. Kiseleff, au modèle français des Bratianu, les Bulgares, du modèle russe du prince Dondukov à un modèle austro-allemand de Ferdinand de Saxe-Cobourg. Tout cela fut renouvelé par la Grande Guerre.

1. Les démocraties formelles de l'entre-deux-guerres

En 1919, le prestige de la France et l'idéologie démocratique du président Wilson étaient au zénith. Les pays balkaniques se considéraient majoritairement aux côtés des Alliés, c'est-à-dire parmi les vainqueurs : bien évidemment, les Serbes qui, depuis l'accord de Corfou de juillet 1917, avaient promis la constitution d'un État des Serbes-Croates-Slovènes ; les Roumains qui, le 10 novembre 1918, s'étaient de nouveau proclamés en guerre contre les Puissances centrales ; les Grecs qui, grâce à Venizelos, avaient entrepris des opérations militaires à partir de juin 1918. Seuls les Bulgares étaient du côté des vaincus, tandis que les Albanais avaient à refaire tout ce qui avait été esquissé par la conférence de Londres en juillet 1913.

État de droit, État de fait : la Serbie

L'union des Serbes-Croates-Slovènes fut proclamée par le prince héritier Alexandre Karageorgević le 1er décembre 1918 et un gouvernement de coalition fut formé avec le Slovène Anton Korošec, le Croate Ante Trumbić ; le Serbe Stojan Protić remplaçait Nikola Pašić qui présidait la représentation du nouveau royaume à la conférence de la Paix. Outre des questions de frontière avec l'Italie, la nouvelle Autriche et la Bulgarie, l'État nouveau avait à faire face à de graves problèmes de minorités : sur près de douze millions d'habitants, il y avait 17 % d'allogènes allemands, magyars, albanais, roumains, turcs, tchèques et slovaques, etc. Plus grave était le divorce fondamental qui séparait les trois peuples fondateurs. Les Croates et les Slovènes, ex-ennemis qui s'étaient en général correctement battus dans les armées de l'Autriche-Hongrie, souhaitaient une formule fédérale que Vienne avait été incapable d'organiser. Les Serbes, fiers de la victoire de leurs troupes dans la reconquête de leur pays et conscients de leurs sacrifices à la cause des Alliés, envisageaient plutôt une « Grande Serbie » dilatée aux frontières de l'État. Or l'homme qui allait être habilité à présider aux choix décisifs était le prince puis roi en 1921, Alexandre Ier, qui avait été élevé dans la Russie de Nicolas II, avait reçu une éducation militaire et avait plus confiance dans son armée que dans un parlement.

Sur ces bases s'organisa une vie politique « normale » répondant dans l'ensemble aux critères du temps. Les premières élections de novembre 1920 virent une douzaine de partis se partager les quatre cent dix-neuf sièges de l'Assemblée constituante. Arrivaient en tête le Parti radical serbe de Pašić, le Parti démocrate des Serbes des anciens territoires autrichiens, le Parti paysan croate et le Parti communiste. Le succès de ce dernier — 58 sièges — classait l'État des Serbes-Croates-Slovènes parmi les pays, tels la Hongrie, qui étaient las de la guerre et dont les paysanneries, largement illettrées, votaient un non au système. La réaction du prince fut celle d'un ennemi viscéral des Bolcheviks : profitant d'un attentat contre sa personne, il mit le Parti communiste « hors la loi »: les députés communistes furent exclus de la Skupština, la propagande et la presse du parti interdites. C'était le premier indice d'une « démocratie » orientée dans un sens autoritaire.

Source : d'après G. CASTELLAN, *Histoire des Balkans*

Le vote de la Constitution nouvelle eut lieu le 28 juin 1921, le jour de la Saint Guy, Vidovdan, anniversaire de la bataille de Kosovo de 1389 et de l'assassinat de l'archiduc François-Ferdinand en 1914. Les députés paysans croates avaient boycotté la cérémonie d'adoption qui ne fut acquise que grâce aux radicaux serbes, aux démocrates et aux musulmans de Bosnie : soit moins de la moitié des voix. Inspirée de la Constitution serbe de 1869, elle était fortement centralisatrice avec un roi chef de l'armée qui choisissait le Premier ministre, une seule chambre, la Skupština, une administration entièrement entre les mains du pouvoir. Jusqu'en 1924, les députés paysans croates s'en tinrent à leur boycottage, puis Nicolas Pašić fit sortir de prison leur leader Stjepan Radić [1] pour lui confier le ministère de l'Instruction publique dans une coalition interrompue en décembre 1926 par la mort du politicien serbe. Les affrontements continuèrent entre Serbes et Croates et conduisirent à un drame. Le 20 juin 1928, en pleine Skupština, un député radical du Monténégro ouvrit le feu sur les députés croates ; Stjepan Radić et deux de ses collègues furent tués. Après six mois de discussions infructueuses avec Zagreb, le roi Alexandre dissolvait le Parlement et abolissait la constitution du Vidovdan, le 9 janvier 1929. La démocratie formelle yougoslave avait duré dix ans.

Le dur apprentissage de la démocratie en Roumanie

En Roumanie, il fallut faire entériner d'abord la « Grande Roumanie unitaire » proclamée le 24 janvier 1919. Les Roumains de Transylvanie avaient réuni une Grande Assemblée à Gyulafeiervar (Alba Julia) le 1er décembre 1918. Composée de députés élus au suffrage universel et de représentants des organisations (Églises, enseignants, sociétés culturelles) de Transylvanie, du Muramures et du Banat, elle était très majoritairement en faveur de l'union à la Roumanie. Elle vota à l'unanimité cette union, mais avec une autonomie locale, l'organisation de l'État sur des bases démocratiques par l'égalité des langues et des religions, l'acceptation des frontières qui seraient établies par la conférence de la Paix. Le roi Ferdinand Ier nomma trois ministres sans portefeuille pour représenter les nouvelles régions dans le gouvernement de Bucarest.

(1) Condamné sous l'inculpation de « haute trahison » à cause d'un voyage à Moscou dans le cadre de ses activités à « l'Internationale verte ».

Le problème fut compliqué par la situation de la Hongrie où une « République des Conseils » de type bolchévique fut proclamée par Bela Kun en mars 1919. Encouragés par la politique du maréchal Foch qui envisageait une intervention militaire, les Roumains s'appuyant sur le traité d'alliance avec les Alliés d'août 1916, poussèrent leurs troupes jusqu'à Budapest où elles restèrent du 3 août — deux jours avant la chute de Bela Kun — jusqu'en novembre, à l'arrivée de l'armée contre-révolutionnaire hongroise de l'amiral Horthy. Cela provoqua une vive tension avec les Anglais et les Américains : les Quatre envoyèrent un ultimatum à Bucarest qui dut s'incliner. Le 4 juin 1920, le traité de Trianon obligeait la Hongrie à céder à la Roumanie les territoires transylvains et le nord du Banat. La Bukovine et la Dobrudja du Sud lui avaient été données par les traités avec l'Autriche et la Bulgarie, tandis que les Alliés, à l'exception des États-Unis, reconnaissaient à Bucarest la possession de la Bessarabie, en dépit des protestations de la Russie bolchévique. Tout cela se traduisit par le doublement du territoire de la Roumanie qui passait à 18 millions d'habitants, mais sur ce total, il y avait 30 % d'allogènes, dont 1 500 000 de Magyars, 740 000 Allemands, 577 000 Ukrainiens, 415 000 Russes et autres. La Grande Roumanie leur garantissait une complète égalité des droits, mais les Magyars en particulier posèrent un redoutable problème.

La vie politique fut bouleversée par l'introduction du suffrage universel appliqué par un décret de juin 1919. Le Parti national libéral, bien tenu en mains par les frères Bratianu, domina la période 1921-1928. Résolument unitaires, ils avaient fait voter la Constitution du 20 mars 1923 qui proclamait « Le royaume de Roumanie est un État national unitaire et indivisible » ; ils représentaient la bourgeoisie du Vieux royaume et se prononçaient pour le développement de l'industrie et des banques. En face d'eux s'était constitué à Bucarest en 1918 un Parti paysan sur l'idée d'une réforme agraire ; il fusionna avec l'ancien Parti national de Transylvanie et fut présidé par Julius Maniu. Une autre formation du général Averescu, auréolé de sa victoire de 1916, aboutit à un populisme qui triompha en 1920 avec 40 % des voix et fit voter la réforme agraire en juin 1921. Ces formations dominèrent la scène jusqu'en 1938, conservant bien des caractères de la vie politique de l'ancien royaume : corruptions, fraudes électorales, népotisme. Elle fut compliquée par la question royale. Le roi Ferdinand avait eu un fils, Carol, qui avait épousé Hélène de

Grèce ; de ce mariage était né en mai 1921 un enfant, Michel (Mihaï). Mais Carol avait une maîtresse, Elena Lupescu, divorcée, d'une famille juive de Iassy. En 1925, sommé de choisir, le prince héritier renonça au trône en faveur de Michel et partit en exil avec sa maîtresse. Deux ans plus tard, Ferdinand mourait et Michel devint Mihaï I, avec un conseil de régence. Mais en 1930, un groupe d'officiers et d'industriels rappela l'exilé : le Parlement rétablit dans ses droits Carol qui devint Carol II (juin 1930), tandis que Michel était nommé « Grand Vojvode ». En sept années, le monarque appela tour à tour au pouvoir tous les chefs des partis qui s'éliminèrent par leur échec. La voie était libre : le 18 janvier 1938, Carol dissolvait la Chambre nouvellement élue et confiait le gouvernement au patriarche Cristea qui proclama l'état de siège. La « dictature royale » commençait.

IMPRESSIONS D'UN GÉOGRAPHE FRANÇAIS, JACQUES ANCEL, DANS LA MACÉDOINE COLONISÉE PAR LA GRÈCE AVEC DES GRECS CHASSÉS DE TURQUIE EN 1923

« Qui a connu la Macédoine grecque ne la reconnaît plus aujourd'hui. Les déserts disparaissent. Les villages sortent, sont sortis de terre. Des villes doublent leur population et leur étendue. Sur la plaine, dans la montagne, des localités flambant neuves attestent l'œuvre géante. Un ingénieur de la colonisation pouvait fièrement me dire, en montrant les ruines de l'ancienne capitale du roi Philippe de Macédoine et, à côté, le village blanc aux toits rouges qui domine les marais : « J'ai créé une nouvelle Philippe. » Les ingénieurs grecs sont les modernes édificateurs.

Quel plaisir de parcourir, guidé par ces savants et ces apôtres, la Macédoine colonisée ! Beaucoup sont des élèves des écoles françaises, de Grignon, de Montpellier. Ils y ont appris la science agricole et ont ajouté cet amour de la patrie reconquise. Beaucoup sont des réfugiés, comme ces paysans qui ont, une fois seulement dans l'histoire, emporté la patrie à la semelle de leurs souliers. Tous se sont mis à l'ouvrage. La Commission de la SDN a fourni les locaux ou le matériel pour 500 000 réfugiés. Mais l'État grec seul a donné l'argent nécessaire à l'établissement d'un million d'hommes. La Macédoine et la Thrace étaient les terres les plus propices : d'abord parce que c'étaient les seuls domaines de grande propriété, les *tchiflik* turcs ; ensuite parce que vu les conventions d'échange, les Musulmans et les Slaves quittaient le pays à tout jamais. Les terres vacantes, on les a partagées dans le plus strict esprit de justice, classant les sols selon la valeur, procédant au tirage au sort des parts nécessaires à une famille, dont beaucoup étaient privées du père, mort à la guerre ou en otage.

La frontière de la Grèce (1919-1923)
Sinope
Skopje
Ohrid
Bitolj
Koritsa
Valona
Andrinople
Kastamuni
Istanbul
Enos
Salonique
Cavalla
Thasos
Mer de Marmara
Samothrace
Imbros
Lemnos
Brousse
Angora
Trikala
Arta
Volos
ANATOLIE
Lesbos
Mitylene
Chio
Smyrne
Corinthe
Athènes
Samos
Aidin
Konia
Sparte
Adalia
Dodécanèse (Italie)
RHODES
CRÈTE
CHYPRE
Populations grecques
Frontières réclamées par la Grèce en 1919
Frontières obtenues en 1920
Frontières actuelles telles qu'elles ont été rétablies en 1923

Voici un petit village des environs de Serrès, au milieu de cette immense plaine jadis inculte, que ceignent les montagnes altières, comme le Pangée à l'horizon. Les eaux du lac Tachynos miroitent au loin. Sur une légère éminence le nouveau village, carré, s'étale. Au centre un grand bâtiment en construction, où les briques s'accumulent : c'est l'école, dont la masse imposante domine de loin déjà, et cela est un symbole. L'école est le premier besoin après la maison de famille. Et ce sont les cotisations des paysans seuls, la main-d'œuvre des paysans, qui la construisent. Nous entrons dans une maison basse, faite de briques séchées et couverte de tuiles. La femme apporte la confiture hospitalière, dont on ne goûte qu'une cuillerée à la ronde selon l'usage. Et les hommes causent entre eux. On accueille comme un conseiller, un confident, l'ingénieur agronome, qui a fait creuser le puits artésien, qui a amélioré les plants de maïs, de tabac, dont les premières tiges dépouillées — c'est la fin de la récolte — couvrent de-ci, de-là encore la plaine déjà labourée. Et l'on ne demande qu'une chose : la route. Car les pistes sont impraticables l'hiver. Déjà après ces premières pluies d'automne, notre petite auto s'est enlisée dans un torrent. Et c'est aussi un miracle que d'avoir amené le matériel malgré le manque de voies.

Jacques ANCEL, *Les Balkans face à l'Italie*, Paris, Delagrave, 1928.

La Grèce entre humiliation et divisions

La Grèce avait connu l'orgueil de la victoire : son armée avait participé à l'offensive de l'Armée d'Orient qui avait abouti à la défaite de la Bulgarie et elle occupait la Thrace ottomane jusqu'aux murailles de Constantinople. Les rêves de la *Megale Idea* semblaient à portée de la main. Mais à la conférence de la Paix, le Premier ministre italien, Orlando, en conflit avec les Alliés s'étant retiré, les Trois — France, États-Unis et Angleterre — confièrent aux Grecs l'occupation de Smyrne, région hellénisée menacée par les Turcs. Les troupes du roi Alexandre y débarquèrent en mai 1919 au milieu d'un grand enthousiasme populaire. Le traité de Sèvres, imposé le 10 août 1920 à l'Empire ottoman prévoyait que la Grèce pourrait annexer cette région au bout de cinq années si la population le désirait. Sur ces entrefaites, Alexandre mourut accidentellement et Venizelos, battu aux élections de novembre 1920, partit pour l'exil. Un plébiscite rappela le roi Constantin qui avait abdiqué sous la pression des Alliés en avril 1917. Dès juin 1920, les troupes grecques de

Smyrne élargirent leur zone d'occupation et voulurent progresser vers Ankara où s'était réunie la Grande Assemblée de Kemal Ataturk. Elles furent écrasées par Ismet Inonu sur le fleuve Sakarya (le Sangarios des Grecs) et poursuivies jusqu'à Smyrne où Kemal Ataturk entra triomphalement le 9 septembre 1922. Ce fut l'effondrement : le roi Constantin abdiqua une seconde fois, un gouvernement autour du général Plastiras fit fusiller le chef du gouvernement, quatre ministres et le chef d'État-major général de l'armée ; les Turcs reprirent la Thrace avec Edirne, les Iles d'Imbros et Tenedos ; un million trois cents mille Grecs d'Asie durent quitter des terres où ils étaient établis depuis plus de deux millénaires. C'était la mort de la *Megale Idea*.

Traumatisés, les Grecs étaient de plus profondément divisés : face aux royalistes, un bloc républicain s'était constitué. Le fils aîné de Constantin, devenu le roi Georges II, s'appuyait sur des éléments de l'armée, tel le général T. Metaxas et sur le parti populiste de P. Tsaldaris. Les Républicains regroupaient des généraux comme N. Plastiras et l'Union démocratique de Papanastassiou. Entre les deux camps, Venizelos et son parti libéral penchaient pour une monarchie tempérée. Le résultat fut la proclamation de la République en avril 1924, à la suite d'un plébiscite suivi, de 1928 à 1933, par une période venizeliste close par un coup d'État du général Plastiras ; il fut suivi d'un retour du roi Georges II en novembre 1935, appelé par un plébiscite qui lui donna 97 % des suffrages, « une parodie électorale », d'après l'historien A. Vacalopoulos. Constatant que les hommes politiques étaient devenus des politiciens professionnels qui pratiquaient toutes les traditions « balkaniques » de népotisme et de corruption, le roi nomma comme chef du gouvernement le général Metaxas et le 4 août 1936 signa des décrets dissolvant le parlement et suspendant les articles de la Constitution sur les libertés personnelles. La démocratie grecque, bien que formelle, était morte.

La Bulgarie dans le camp des vaincus

La Bulgarie avait été vaincue sur les champs de bataille. Face à l'offensive de l'Armée d'Orient du général Franchet d'Esperey, elle fut contrainte de signer l'armistice, d'autant que son armée, influencée par l'idéologie des Bolcheviks, se mutina en Macédoine. Une « République de Radomir » fut proclamée, qui dura quatre jours, puis fut étouffée par des troupes fidèles. Jugé trop germanophile par les Alliés, le roi Ferdinand dut abdiquer en faveur de son fils qui devint Boris II (1894-1943). Comme en Allemagne, ce fut à la gauche modérée qu'incomba la liquidation de la guerre. La conférence de la Paix, sans consultation des Bulgares, décida du sort du pays. Le traité de Neuilly (novembre 1919) aggravait celui de Bucarest de 1913 : la Bulgarie perdait la Dobrudja du Sud au profit de la Roumanie, la Thrace égéenne et donc tout débouché sur la mer Egée au profit de la Grèce, la vallée de la Strumica et Caribrod au profit de la Serbie. Elle devait payer de lourdes indemnités de guerre et réduire son armée à 35 000 hommes. Dans le pays ruiné, 250 000 réfugiés de Macédoine et de Thrace apportèrent les germes d'un irrédentisme agressif, tandis que les partis de gauche se voyaient accusés d'avoir accepté le diktat des Alliés. La Bulgarie se rangeait d'emblée dans le camp des mécontents de l'ordre de Versailles.

Les premières élections donnèrent le pouvoir à A. Stambolijski et à son parti l'Union agrarienne qui s'efforça d'instaurer un régime fondé sur la paysannerie considéré comme un bloc. Une réforme agraire en 1922 renforça la petite propriété. Mais le roi et la cour détestaient ces rustres et une « Ligue des officiers » rassembla des journalistes, des avocats, des universitaires, dont le maître à penser était le professeur Alexandre Tzankov, admirateur de Mussolini. Au lendemain des élections de 1923, triomphales pour les Agrariens, ils firent un coup d'État qui se termina par la mise à mort de Stambolijski. Devenu Premier ministre, Tzankov maintint la façade démocratique — élections périodiques, parlement à partis multiples — et ne s'appuya sur aucun embrigadement populaire. Ce fut une « réaction conservatrice » qui se traduisit par l'interdiction du Parti communiste et l'appui donné à l'ORIM (Organisation révolutionnaire intérieure de la Macédoine). Profitant de la crise économique des années 1929-1933, des militaires républicains firent un coup d'État en mai 1934 : l'Assemblée fut dissoute, tous les partis politiques interdits. Mais en janvier 1935, le roi chassa les officiers et établit sa propre dictature.

Chez les « vainqueurs » comme chez les « vaincus » de la Guerre, la démocratie de façade aboutissait dans tous les cas à la dictature du Monarque.

2. Les dictatures royales de l'entre-deux-guerres

La montée des tensions en Yougoslavie

Chronologiquement, la première de ces dictatures fut celle du roi Alexandre Ier de Yougoslavie. À la différence des autres dictatures, italienne ou soviétique, elle ne s'appuyait sur aucun parti ou organisation politique : le roi déclarait prendre directement en charge ses « peuples ». Le gouvernement fut confié d'abord à un général, des décrets réprimèrent le terrorisme mais aussi la propagande communiste, les partis et associations publiques furent dissous, la presse étroitement contrôlée. En octobre 1929, un décret supprimait les anciens pays et les remplaçait par neuf *banovine*, provinces dirigées par un *ban* ; quant au royaume des Serbes-Croates-Slovènes, il devenait le « Royaume de Yougoslavie ». La prépondérance serbe n'en demeura pas moins écrasante dans le gouvernement : le Premier ministre, ceux de la Guerre, de la Marine et de l'Intérieur provenaient toujours du vieux royaume. En septembre 1931, le roi promulgua une nouvelle constitution : un « Parti démocratique paysan » vit le jour qui fut une sorte de parti officiel du roi. Le mécontentement restait cependant vif en Croatie où le leader croate, le Dr Maček fut de nouveau emprisonné pour avoir réclamé l'autonomie du pays dans son « manifeste de Zagreb ». En octobre 1934, à l'occasion d'une visite officielle en France, le roi Alexandre débarquant à Marseille fut assassiné par un terroriste du parti extrémiste croate, l'*Ustaša*.

L'héritier, Pierre II, n'avait que onze ans et la régence fut confiée au prince Paul, cousin du roi défunt. Il essaya de relancer une vie politique plus normale. Des élections eurent lieu en 1935, mais les Croates les dénoncèrent comme truquées et boycottèrent la Skupština. Le gouvernement Stojadinović s'efforça alors de faire approuver un concordat avec le Vatican, qu'il avait signé en juillet 1935, mais l'Église orthodoxe entreprit une campagne de manifestations violentes qui aboutit au retrait du texte. Le prince Paul discuta alors directement avec le Dr Maček un statut de l'autonomie croate. Un accord — *Sporazum* — fut signé le 26 août 1939, six jours avant le début de la Deuxième Guerre mondiale. Il prévoyait une grande *banovine* de Croatie réunissant la Croatie de l'intérieur et la Dalmatie, soit 4,4 millions d'habitants dont 800 000 Serbes et 100 000 musulmans ; à sa tête, le *ban* qui siégeait à Zagreb, assisté d'une diète — *Sabor* — compétente pour les problèmes intérieurs. Maček devenait vice-président du gouvernement yougoslave. Quand la guerre éclata, le prince Paul proclama la neutralité de la Yougoslavie, mais soumis à de fortes pressions de la part de l'Allemagne hitlérienne et de l'Italie mussolinienne, il accepta de signer l'adhésion au « Pacte tripartite », pacte d'alliance entre l'Allemagne, l'Italie et le Japon. Deux jours après, un putsch militaire éclatait à Belgrade et remplaçait le prince Paul par le jeune roi Pierre II, tandis que l'adhésion au Pacte était rejetée. Hitler répondit par une déclaration de guerre le 6 avril 1941.

L'INFLUENCE ALLEMANDE EN ROUMANIE À LA VEILLE DE LA DEUXIÈME GUERRE MONDIALE

Après la puissante offensive des exportations allemandes qui caractérise les dernières années de la République de Weimar, la période 1933-1936 marque un reflux. Maître du commerce extérieur, qui devient dans ses mains un instrument au service du réarmement, l'État hitlérien ne témoigne que peu d'intérêt pour le marché roumain, considéré comme une source d'approvisionnement trop chère. Les relations commerciales avec ce pays sont conçues avant tout comme une arme politique et c'est dans cette perspective qu'il faut interpréter les accords économiques conclus au printemps 1935. À partir de 1936, les rôles s'inversent : alors que le *Reich* cherche à se procurer des quantités plus importantes de produits roumains, c'est la Roumanie qui s'oppose à une extension trop grande des échanges, ceci pour éviter que des arriérés de *clearing* importants ne menacent sa monnaie et pour réserver une partie de ses exportations aux marchés dits à devises fortes, que la hausse des prix mondiaux rend plus accessibles à ses produits.

Au cours de l'été 1938 intervient, comme nous l'avons souligné, la grande césure : de simple appoint de carburant, le marché roumain devient la clé de voûte du système pétrolier allemand. Appuyée sur de faibles bases commerciales et surtout financières, l'offensive économique allemande s'enraie : la dynamique de la contre-offensive anglaise se conjugue avec le poids des capitaux franco-britanniques pour la tenir en échec. De mars à août 1939, le *Reich* améliore légèrement ses positions, grâce surtout à ses gains territoriaux en Europe centrale et aux possibilités commerciales et financières que ceux-ci lui ouvrent. Mais la massive offensive économique alliée qui suit le déclenchement de la guerre balaie tout l'acquis : hausse des prix et hausses boursières

dressent devant les appétits allemands un barrage infranchissable ; complètement déréglé, le *clearing* menace de « sauter » dans les mains des Allemands. Ce n'est qu'avec beaucoup de peine, et en jouant sur le seul terrain politique, terrain dangereux par excellence, que ceux-ci parviendront à rétablir la situation. Dès mars 1940, le marché roumain, « étatisé », libéré de la tutelle des capitaux franco-britanniques, est prêt à fonctionner au seul profit du *Reich*.

Philippe Marguerat, *Le IIIe Reich et le pétrole roumain, 1938-1940*, Institut universitaire de Hautes Études Internationales, Genève, 1977.

La Roumanie dépecée

En Roumanie, Carol II octroya une nouvelle constitution dès le mois de février 1938, un mois après sa prise du pouvoir. Elle augmentait les prérogatives royales, supprimait les partis politiques remplacés par un « Front de la renaissance nationale », organisait suivant le modèle mussolinien des corporations d'ouvriers et d'employés. En fait, le roi gouvernait en s'appuyant sur l'armée et la police, entouré d'une camarilla dans laquelle figuraient les Lupescu, l'industriel Nicolae Metaxa et des banquiers. Carol II commença par se débarrasser du leader de l'organisation fasciste de la « Garde de Fer », Corneliu Codreanu, qui avait été emprisonné et fut abattu à l'occasion d'un transfert avec treize de ses compagnons. Dans la guerre qui éclata en septembre 1939, la Roumanie proclama sa neutralité et Carol II lança le mot d'ordre d'une « politique de réconciliation nationale ». Mais la défaite française fut accompagnée d'un ultimatum de Staline pour occuper les territoires de la Bessarabie et de la Bukovine : 50 000 km² et trois millions d'habitants. Ce qui fut fait le 28 juin 1940. Peu après, les Hongrois et les Bulgares firent connaître leurs revendications sur la Transylvanie et la Dobrudja du Sud. « L'arbitrage de Vienne » du ministre Ribbentrop et du comte Ciano donna à la Hongrie de l'amiral Horthy le nord de la Bessarabie : 43 000 km² et 2 367 000 habitants, tandis que les accords de Craïova transféraient à Sofia le « Quadrilatère », c'est-à-dire la Dobrudja du Sud perdue lors de la Seconde Guerre balkanique. Isolé et déconsidéré, Carol II abdiqua en faveur de son fils Michel Ier et confia le pouvoir au général Ion Antonescu. Il partit avec Madame Lupescu et son trésor le 8 septembre 1940.

Composition des importations roumaines d'Allemagne (principaux postes) :

	1935	1936	1937	1938	1939 (sans le Protectorat)
Laine	6,6 %	9,7 %	9,6 %	5 %	2,8 %
Matières textiles végétales	6,6 %	12,5 %	6,8 %	7,9 %	6,8 %
Fer, articles en fer et métalloïdes	20,1 %	21,1 %	19,9 %	23,5 %	28,7 %
Appareils, machines, moteurs et véhicules	24,3 %	25 %	34,1 %	37,3 %	37,6 %
Produits chimiques et colorants	18,8 %	13,4 %	12,8 %	9,6 %	9,3 %
Divers	23,6 %	18,3 %	16,8 %	16,7 %	14,8 %

Établi et calculé d'après *Annuarul statistic al Romaniei*, année 1940, pp. 618-619 (sur la base de la valeur).

La Bulgarie satellisée

En Bulgarie, en juin 1935, le roi Boris appela au gouvernement un de ses fidèles G. Kioseivanov qui resta au pouvoir jusqu'en 1940. Cela lui permit de renvoyer les militaires dans leurs casernes et de gouverner avec la police et l'administration. Une assemblée fut cependant élue mais ne disposait que de pouvoirs consultatifs. Sensible à l'influence de Berlin, Boris n'en demeura pas moins neutre dans le conflit de la Seconde Guerre mondiale. De nouvelles élections en février 1940 donnèrent la quasi-totalité des sièges au roi qui appela au pouvoir le germanophile Bogdan Filov, archéologue et président de l'Académie des sciences. Il fit adhérer son pays au Pacte tripartite et rompit les relations avec la Grande-Bretagne. Une opposition intérieure était tolérée, représentée par d'anciens chefs de gouvernement des années 1920-1930. Boris était le centre de la vie politique et tenait en mains tous les fils d'une situation délicate. Aussi sa mort brutale en août 1943, au lendemain d'une visite au quartier général du Führer donna-t-elle lieu à de nombreuses spéculations : le public bulgare accusa les Allemands de l'avoir empoisonné, alors qu'il mourut d'une attaque cardiaque au retour d'une excursion en montagne.

L'Albanie sous protectorat

L'Albanie offre un cas spécifique. Lorsqu'en 1920, l'État fut théoriquement reconstitué avec un gouvernement établi à Tirana et des frontières à préciser, les obstacles à la mise en route d'une vie politique moderne étaient immenses : 90 % de la population étaient analphabètes et il n'existait qu'une intelligentsia des plus réduite, de formation autrichienne au nord, italienne sur la côte, grecque au sud. Les seuls leaders politiques étaient les anciens beys de l'administration ottomane liés aux grands propriétaires terriens. La vie parlementaire ne fut donc qu'une façade recouvrant des rivalités de clientèles derrière des chefs de grandes familles.

Le premier gouvernement issu des élections de 1921 fut dominé par Ahmed Bey Zogolli, dit Zogu (1895-1961). Fils d'un chef de tribu du pays musulman de Mati, il avait fréquenté l'école militaire d'Istanbul avant de combattre contre les Serbes et les Monténégrins pendant les Guerres balkaniques. Devenu ministre de l'Intérieur, il organisa une gendarmerie et se proclama Premier ministre en 1922. L'opposition groupée derrière le ministre Fan Noli le chassa par une insurrection armée au printemps de 1924 : ce fut la « révolution démocratique » qui installa Fan Noli au pouvoir ; il allait y rester six mois. Son programme visait à établir une démocratie wilsonienne humaniste et pacifiste. C'était beaucoup trop, vu l'état du pays. Zogu, réfugié à Belgrade, prépara une intervention militaire qui chassa Fan Noli en décembre 1924. Le vainqueur accapara la totalité du pouvoir : un parlement croupion proclama la République et l'élut président pour sept ans. Il mit en place une constitution sur mesure et organisa une armée en donnant des grades aux chefs de tribus. Manquant de capitaux pour moderniser le pays, il se tourna vers Mussolini qui avait, l'un des premiers, reconnu la République d'Albanie. Une « Société pour le développement économique de l'Albanie » (SVEA) prit les affaires en main tandis qu'une Banque nationale était créée sous l'égide de la Banque d'Italie et qu'une monnaie, le *lek* — remplaçait les quinze monnaies qui jusqu'alors circulaient dans le pays. Rome exigea que Zogu lui reconnaisse le droit de défendre l'Albanie par un pacte « d'amitié et de sécurité » signé en novembre 1926. Deux ans plus tard, le président convoqua une Assemblée constituante qui décida à l'unanimité, le 1er septembre 1928, de transformer l'Albanie en un « royaume démocratique, parlementaire et héréditaire » dont le souverain fut Zogu, devenu Zog Ier. Mais la cour coûtait cher et le roi fut obligé de se tourner de plus en plus vers l'Italie : dix années durant, il régna sous la protection de Mussolini, à la grande colère des nationalistes et de l'armée. Ciano, ministre des Affaires étrangères du Duce n'était pas satisfait de cette situation et se prononça pour une solution radicale. En mars 1939, Rome envoya un ultimatum à Zog, demandant l'occupation de points stratégiques par l'armée italienne, l'installation de colons sur les meilleures terres et l'union douanière avec l'Italie. Zog, isolé, se débattit quelques jours et le 7 avril — Vendredi saint — 30 000 soldats du Duce débarquèrent, se heurtant à des résistances locales. Zog s'enfuit en Grèce, accompagné de sa femme et du petit prince héritier, Skender, né trois jours plus tôt. L'Albanie indépendante était morte.

3. Un mouvement de contestation : le fascisme

Comme partout en Europe, ces démocraties formelles et ces régimes autoritaires se heurtèrent à des forces de contestation de type fasciste ou de type communiste.

Le régime du Général Metaxas

Jusqu'à la guerre, le fascisme ne triompha — et sous une forme incomplète — qu'en Grèce, dans la patrie de la Démocratie ! Comme en Italie, le régime mis en place par le général Metaxas laissa subsister le roi Georges II, réduit à un rôle passif. Intitulé d'après la date de son inauguration « Régime du 4 août » (1936), le pouvoir avait à sa tête un *Archigos* — conducteur — comme l'Italie de Mussolini ou l'Espagne de Franco. L'idéologie reposait sur une vision simpliste de l'histoire grecque ; celle-ci avait connu trois périodes de grandeur, toutes trois caractérisées par des régimes autoritaires : celle de Périclès qui fut un dictateur de fait derrière une façade démocratique, celle de Byzance sous l'autocratie impériale et celle du « 4 août » avec Metaxas ! Ces vérités premières durent être inculquées à une jeunesse embrigadée dans une « Organisation nationale » avec uniforme, salut romain, etc. Pour les adultes, aucun embrigadement n'était prévu : on se contentait de prôner les vertus de la famille et de la religion. L'Église en effet dominait l'enseignement et partageait avec la police et la gendarmerie le soin de maintenir l'ordre social. Celui-ci fut l'objet des sollicitudes du régime : la journée de huit heures fut introduite dans les entreprises et une réglementation des dettes agricoles allégea le fardeau des paysans. De plus, l'on favorisa la langue populaire — le démotique — dans l'enseignement. Le paradoxe de cette dictature fascisante fut qu'en dépit de l'imitation du modèle italien, Metaxas fut obligé de faire face à l'ultimatum de Rome en octobre 1940 et ayant répondu à l'ambassadeur du Duce par un « non » célèbre, eut la satisfaction avant de mourir en janvier 1941, de voir sa petite armée infliger une série de défaites aux troupes de Mussolini !

La Garde de fer roumaine

Beaucoup plus rigoureux fut le mouvement fasciste roumain. Comme en Italie et en Allemagne, il se développa à deux moments différents : dans l'immédiate après-guerre où se constituèrent des petits groupes de déçus de la paix issus des milieux militaires et intellectuels, puis durant la grande crise des années 1929-1933 où il attira des larges couches sociales qui rejetaient l'analyse et la politique marxistes. En 1923, on vit se créer parmi les étudiants de l'université de Bucarest une *Fascia* à l'imitation du modèle mussolinien. La même année, un professeur de l'université de Iași, Alexandre Cuza, fonda une « Ligue de défense nationale chrétienne » ; son idéologie combinait les thèses nationalistes et antisémites avec un « paysanisme » — *ţaranismul* — qui s'était formé dans les milieux du Parti paysan autour de l'instituteur Ion Mihalache, éphémère ministre de l'Agriculture en 1919. Aux élections de 1926, le parti de Cuza obtint dix sièges.

Au même moment, un autre mouvement authentiquement fasciste se développa : la Garde de fer — *Gardă de fier* — de Corneliu Codreanu (1899-1938). Ce jeune bourgeois de Iași avait été l'élève du professeur Cuza et, dans les années de l'après-guerre, avait organisé un corps-franc anti-bolchévique à la frontière moldavo-russe. Pendant ses études à l'université, il se fit remarquer par ses violences contre les juifs et les communistes, ce qui lui valut des démêlés avec la police et un exil à Grenoble où il étudia le droit. De retour en Roumanie, il structura son mouvement suivant le système des nazis : ses adhérents furent dotés d'une « chemise verte » et devaient obéissance absolue au Capitaine — *Capitanul*. Les gardistes commencèrent leurs « exploits » contre les juifs de Bessarabie où Codreanu parvint à se faire élire député en 1932. En même temps, le mouvement commençait à pénétrer les milieux ouvriers : il participa aux grèves de 1933. Le gouvernement saisit ce prétexte pour le dissoudre ; il répondit en abattant le Premier ministre sur le quai de la gare de Sinaïa, résidence royale. Après deux années de clandestinité, il reparut sous le nom d'une alliance « Tout pour la Patrie » qui obtint, en décembre 1937, 16 % des voix, devenant la troisième force politique roumaine. L'Alliance disparut avec les autres partis en janvier 1938 quand Carol établit sa dictature. Mais le roi n'avait pas oublié le défi que lui avait lancé le Capitaine en faisant assassiner le Premier ministre sortant du château de Sinaïa. Codreanu fut arrêté, condamné à dix ans de travaux forcés et le 29 novembre 1938, il fut abattu avec treize de ses compagnons lors d'une « tentative de fuite » — en fait les quatorze hommes furent méthodiquement exécutés dans la forêt.

OUSTACHI ET TCHETNIKI

Ces qualifications — injurieuses de nos jours — sont une référence à la Seconde Guerre mondiale.

L'organisation terroriste Ustaša : la Rebelle, fut créée en 1930, à Rome, dans l'Italie fasciste de Mussolini, par Ante Pavelić (1889-1959), extrémiste croate qui voulait déstabiliser la Yougoslavie du roi Alexandre Ier. C'est un de ses séides qui assassina le roi à Marseille en octobre 1934. Pendant la guerre, Ante Pavelić devint le chef — *poglavnik* - de l'État fasciste croate. Les Oustachi devinrent la milice d'Ante Pavelić qui l'occupa à massacrer les Serbes habitant la Croatie : on parla de 200 000 à 700 000 morts. C'est à ces terribles souvenirs que font référence les Serbes actuels.

Tchetnik était le nom donné aux combattants serbes engagés dans la résistance de Draža Mihaïlović (1893-1946), colonel puis général de l'armée royale serbe. Le nom provenait du mot *četa* : troupe. Des unités četniki furent officiellement organisées en Serbie pour lutter contre les Ottomans, depuis 1868, et existèrent jusqu'en 1941, sous la forme d'association patriotique paramilitaire. Les combattants sous D. Mihaïlović avaient repris cette appellation traditionnelle. Ils combattirent au début contre les Allemands, mais aussi contre les Oustachi et les Partisans de Tito. Puis ils conclurent des accords avec la Wehrmacht pour lutter contre les Partisans. Leurs méthodes n'étaient pas plus douces que celles des Oustachi.

Le Capitaine disparu, la Garde de fer continua à faire parler d'elle. Son programme vague et sentimental sur fond de violence et de refus du monde moderne séduisit des intellectuels au chômage, des laissés-pour-compte de la paysannerie, mais aussi des couches populaires urbaines : les usines Malaxa de Bucarest devinrent une des forteresses des gardistes. Il est vrai que le mouvement bénéficia de la tolérance de plusieurs gouvernements et, après 1937, de l'aide financière du IIIe Reich. Lorsqu'en septembre 1940 le général Antonescu, connu pour ses sympathies gardistes — et admirateur de l'Allemagne hitlérienne — accéda au pouvoir, il fit de Sima Horia, successeur de Codreanu, un vice-président du gouvernement. Lui-même se proclama *Conducator* et la Roumanie devint un « État légionnaire ». Maîtres de la rue, les gardistes procédèrent à de sanglants règlements de compte : ils assassinèrent le grand historien Nicolae Iorga qui s'était opposé à eux quand il était Premier ministre en 1931. Ces désordres inquiétaient Antonescu désireux, comme les Allemands, d'avoir des bases arrières calmes en prévision de la campagne contre l'URSS. Le 21 janvier 1941, les gardistes tentèrent un grand coup : ils se rendirent maîtres de Bucarest, massacrant de façon horrible trois cent cinquante personnalités dont de nombreux juifs. Le lendemain, le Conducator lançait les troupes roumaines, appuyées de *panzers* de la Wehrmacht, à la chasse aux légionnaires. Il y eut des centaines de mises à mort. Seul Horia Sima et quelques survivants purent se réfugier en Allemagne où Himmler les garda à toutes fins utiles. La Garde de fer disparaissait définitivement de la vie politique de la Roumanie.

Les Oustachi Croates

En Croatie, c'est à travers le problème de l'indépendance du pays que le fascisme se fraya un chemin. En 1929, l'un des membres de l'extrême droite du Parti croate des droits, Ante Pavelić (1899-1959), quitta Zagreb et vint en Italie organiser, sous l'égide et avec l'aide financière de Mussolini, un mouvement *Ustaša* — Insurrection. Le but était l'indépendance de la Croatie par tous les moyens. Il collabora avec l'organisation révolutionnaire macédonienne — ORIM — qui, elle aussi, voulait chasser les Serbes. Les deux organisations recevaient assistance de l'Italie et de la Hongrie et Mussolini entendait s'en servir dans son action diplomatique envers Belgrade. En octobre 1934, l'*Ustaša* arma le bras de l'assassin du roi Alexandre Ier à Marseille. Cette activité terroriste continua jusqu'en 1941. Le 3 avril de cette année, en réponse au coup d'État militaire de Belgrade, le ministre des Affaires étrangères du Reich, von Ribbentrop, proposa au leader croate Maček l'indépendance de son pays. Maček refusa et les Allemands firent appel à l'*Ustaša*. Quelques heures après l'entrée dans Zagreb de la Wehrmacht, le 10 avril, Ante Pavelić proclama l'indépendance de l'État croate et prit en mains le pouvoir avec le titre de *Poglavnik*. Hitler et Mussolini réunirent la Dalmatie à la Croatie intérieure, ce qui était une des revendications des nationalistes, y ajoutèrent la Bosnie-Herzégovine et formèrent un État de 6,5 millions d'habitants dont 3,4 millions étaient croates, 1 900 000 serbes, 700 000 musulmans et 18 000 juifs. Le régime était fragile car Pavelić n'était rentré d'Italie qu'avec quelques centaines de compagnons et il fut largement une création du fascisme italien. Les Oustachi organisés en parti unique avec uniforme, salut à la romaine, choisirent le critère religieux pour l'identification des populations : les Croates étaient catholiques, les Serbes orthodoxes ; quant aux musulmans, ils étaient les alliés naturels des Croates. Sur cette base, ils s'efforcèrent de convertir les Serbes et organisèrent des expéditions qui se terminaient par la mise à mort de villages entiers. Certains prêtres ou religieux acceptèrent de bénir les armes de ces sinistres missionnaires et l'on accusa par la suite l'archevêque de Zagreb, Mgr Stepinac d'avoir fermé les yeux sur bien des excès. Les historiens parlent de 350 000 victimes serbes. Ces derniers résistèrent en attaquant les villages croates et musulmans, déclenchant une guerre civile relayée par la résistance des Partisans de Tito. Occupée par l'armée allemande qui essaya de mettre sur pied une force territoriale — *Domobranci* —, la « Grande Croatie » ne fut pour l'Axe qu'un piètre allié : les Oustachi assassinaient, ils ne combattaient pas.

La fin du mouvement fut atroce, comme toute son histoire. Au printemps de 1945, la Wehrmacht évacua le pays. Pavelić et ses séides ne virent de salut que dans la fuite. Le Poglavnik et ses dignitaires, au milieu d'une colonne de fuyards, parvinrent à passer en Autriche et à disparaître. Une seconde colonne de quelque cent mille hommes, femmes et enfants, fut arrêtée par les Anglais à Bleiburg en Autriche et livrée aux Partisans de Tito en vertu des accords interalliés : tous furent mis à mort. Pavelić vécut ensuite en Argentine et en Espagne où il mourut en décembre 1959 à l'hôpital de Madrid.

Les avatars du fascisme en Serbie et en Bulgarie

Les Serbes eurent eux aussi un mouvement fasciste. Dans les années trente, un petit groupe désigné comme *Zbor* — Ralliement — se constitua autour de Dimitrije Ljotić. Son idéologie reposait sur le thème « grand-serbe », c'est-à-dire le rassemblement de tous les Serbes dans un même État. Fortement hiérarchisé, il visait à établir un régime corporatif semblable à celui de l'Italie mussolinienne. Il avait une organisation de jeunesse appelée « l'Aigle blanc ». Lorsque les Allemands occupèrent le pays, installant le régime du général Nedić, Ljotić leur offrit ses services et obtint d'organiser un corps de 3 600 hommes pour lutter contre la Résistance. Ils disparurent au printemps 1945 dans la débâcle allemande.

En Bulgarie, les historiens de la période communiste qualifièrent de « fasciste » la politique de Boris III et de la régence qui gouverna jusqu'en automne 1944. La notion de « monarcho-fasciste » utilisée renvoie en fait à une politique conservatrice, anti-communiste, mais pas réellement fasciste. On peut toutefois trouver des éléments fascistes dans la pratique du Parti paysan de A. Stambolijski, dans le gouvernement de son adversaire, A. Tzankov, disciple de Mussolini et qui termina sa carrière en septembre 1944 en Allemagne, à la tête d'un gouvernement « national bulgare » en exil dans le Reich, enfin chez le professeur R. Filov, admirateur d'Hitler, qui créa une association unique de la jeunesse et voulut faire appliquer une politique antisémite. Le fascisme en Bulgarie fut incorporé à la politique du monarque et ne peut se développer indépendamment.

4. Le communisme en Roumanie, en Yougoslavie et en Albanie

La Révolution bolchévique a eu des répercussions quasi immédiates dans les Balkans : les Roumains étaient en contact direct avec les révolutionnaires, les Bulgares n'en étaient pas loin, les Yougoslaves touchaient à la Hongrie, révoltée elle aussi, les Grecs eux-mêmes regardèrent vers Moscou lors de leur grande tragédie d'Asie Mineure. Le processus fut simple : les partis socialistes — on disait sociaux-démocrates — qui existaient dans chacun de ces pays se divisèrent sur la question de l'adhésion à la IIIe Internationale : leur aile gauche accepta, devenant ainsi un parti communiste.

Le PCR entre légalité et illégalité

En Roumanie, le Parti social-démocrate constitué en 1910 avait d'emblée été hostile aux entreprises belliqueuses : il le manifesta en 1915 à un congrès à Bucarest qui adopta les thèses de Liebknecht sur la passivité de la IIe Internationale. Pendant que le gouvernement roumain s'était réfugié à Iași, il y trouva un état-major de l'armée russe qui était dominé par les Bolcheviks. Ceux-ci libérèrent un médecin de Dobrudja, d'origine bulgare, Christian Rakovski, qui avait représenté le PSDR à la réunion de Zimmerwald et entraîna ses camarades dans la révolution russe ; il organisa à Odessa un « bataillon révolutionnaire roumain ». Mais bien vite, à Iași comme à Bucarest, toute manifestation socialiste fut interdite. Dans la Grande Roumanie, le parti devait réunir les adhérents de toutes les provinces du pays et prendre position sur la formation d'un État unitaire, en particulier sur la Bessarabie enlevée à la Russie bolchévique. Au printemps de 1919 se posa à lui le problème de l'acceptation des 21 conditions pour rejoindre la IIIe Internationale. Les débats furent longs et difficiles. Comme leurs camarades français, les Roumains envoyèrent à Moscou une mission pour enquêter : elle se laissa convaincre. Mais pendant son absence, le Parti lança un mot d'ordre de grève générale à propos des salaires. La réaction du gouvernement fut brutale et plusieurs députés socialistes furent emprisonnés qui ne purent prendre position sur le rapport de la mission rentrée à Moscou. On décida cependant la réunion d'un congrès qui vota, en mai 1921, par 428 mandats contre 111 d'accepter les 21 conditions ; le Parti communiste roumain affilié à la IIIe Internationale était constitué. Mais le Congrès tourna court : le lendemain, la police arrêta les 70 délégués qui avaient voté l'adhésion. Le Parti communiste connut cependant trois années d'activité légale. Aux élections générales de mars 1922, il obtint 75 000 voix — 0,25 % des votants — et à son second congrès en octobre, il se dota d'un comité central avec un secrétaire général. Cette période fut brutalement interrompue par une ordonnance de I. Bratianu, d'avril 1924, qui interdisait les activités du Parti, ordonnant la dissolution de ses organisations et supprimant ses journaux. Le PCR était ainsi condamné à l'illégalité et y resta jusqu'au 23 août 1944.

Cette période de sa vie fut des plus difficile. La relative stabilisation des années 1922-1928 vit diminuer la combativité d'un prolétariat peu nombreux. De plus, les positions du Komintern étaient difficiles à défendre pour des Roumains : dénonçant les nouveaux États de Versailles — et parmi eux la « Grande Roumanie » — comme « impérialistes », il prônait le droit de sécession pour les Hongrois de Transylvanie, les Ukrainiens de Bessarabie et de Bukovine. Vis-à-vis d'une opinion publique en proie à un fort courant de nationalisme, cela apparaissait un crime de haute trahison. À quoi s'ajoutèrent, à l'intérieur du Parti, des luttes très dures entre fractions de droite et de gauche. Les congrès se tinrent à l'extérieur des frontières : Vienne, Kharkov, Moscou, et les secrétaires généraux furent un Hongrois, un Ukrainien, un Polonais. La représentativité du PCR était pour le moins discutable. Les militants n'en essayèrent pas moins d'avoir une certaine audience par le truchement d'organisations légales mais interdites dès que la police dévoilait leur caractère de camouflage : ainsi, de 1926 à 1933, un « Bloc ouvrier et paysan » qui obtint cinq sièges de députés. À partir de 1935, le PCR appliqua les directives de l'Internationale relative à la constitution de « fronts populaires » : on vit ainsi se former un « front anti-fasciste » avec le Front des Laboureurs du Dr Petru Groza, le MADOSZ des paysans magyars, un petit groupe du parti socialiste. Le pacte germano-soviétique du 23 août 1939 provoqua une grande confusion car il fut bruyamment approuvé par le secrétaire général de l'époque. Tout cela réduisait à peu de choses l'influence du PCR qui, au terme de quatorze années d'illégalité, ne comptait que peu de membres.

Pendant la guerre contre l'URSS à laquelle la Roumanie prit part, le parti communiste organisa des sabotages et se heurta à une dure répression. Quelques-uns de ses dirigeants s'étaient réfugiés en Union soviétique, comme Ana Pauker, échangée en 1940 contre les prisonniers roumains, Vasile Luca et Emil Bordaras, qui y constituèrent une division parmi les prisonniers de guerre. D'autres étaient en prison, comme Gheorge Gheorghiu, interné à Dej et qui deviendra G. Gheorghiu-Dej. D'autres enfin continuaient la lutte clandestine. À partir de 1942, des contacts furent pris avec les sociaux-démocrates par Lucrețiu Pǎtrǎșcanu, pour former une « Union des Patriotes ». Mais il fallut attendre l'automne 1943 pour voir s'organiser une résistance antifasciste, un « Front patriotique » qui regroupa, autour d'un noyau communiste, le Front des Laboureurs, le MADOSZ, c'est-à-dire les formations politiques qui avaient l'habitude de cette collaboration. Au début de 1944, on nota l'apparition des premiers groupes armés de résistants dans le Delta du Danube et dans les montagnes. En avril, la prise d'Odessa par l'Armée rouge décida le roi et certains milieux de la Cour à entrer en action : des émissaires du Palais rencontrèrent des représentants du « Bloc national » formé des partis d'opposition dont deux communistes, Emil Bordaras, rentré clandestinement et Lucreţiu Pătrăşcanu. L'on décida d'une insurrection armée. Elle eut lieu le 23 août 1944 : le général M. Antonescu et son homonyme le chef du gouvernement furent arrêtés en venant rendre visite au roi. Dans le gouvernement mis en place, le nouveau ministre de la Justice était un représentant du PCR, Lucreţiu Pătrăşcanu. Le soir, E. Bordaras emmenait les deux Antonescu au siège clandestin du Parti, dans la banlieue de Bucarest. Le PCR sortait de vingt années de clandestinité pour participer au pouvoir.

Tito et le PCY

En Yougoslavie, le mouvement communiste se manifesta d'abord dans les territoires issus de l'Autriche-Hongrie. L'aile gauche du Parti social-démocrate fut active dans les grèves et mouvements divers qui marquèrent la fin de la guerre. Se posa alors pour elle la question de l'adhésion à la IIIe Internationale. Ce qui fut fait en juin 1920 : elle forma un Parti communiste dont l'objectif était la formation d'une « République soviétique yougoslave » qui devait constituer avec les pays voisins une « Fédération balkano-danubienne » dans la fédération des Républiques soviétiques. Rallié aux thèses de l'Internationale, il dénonça d'emblée l'État des Serbes-Croates-Slovènes comme une « prison des peuples » dominée par la « bourgeoisie grand-serbe ». Aux élections de novembre 1920, le Parti communiste faisait une entrée en force au Parlement : avec cinquante huit sièges — plus que le Parti paysan croate de Radić — il se hissait à la troisième place des forces politiques du nouvel État. Ce succès s'expliquait moins par une adhésion à ses thèses passablement romantiques qu'à une lassitude de la guerre et au mécontentement des paysanneries largement illettrées et non encore transformées par la réforme agraire de l'année précédente ; au Monténégro et

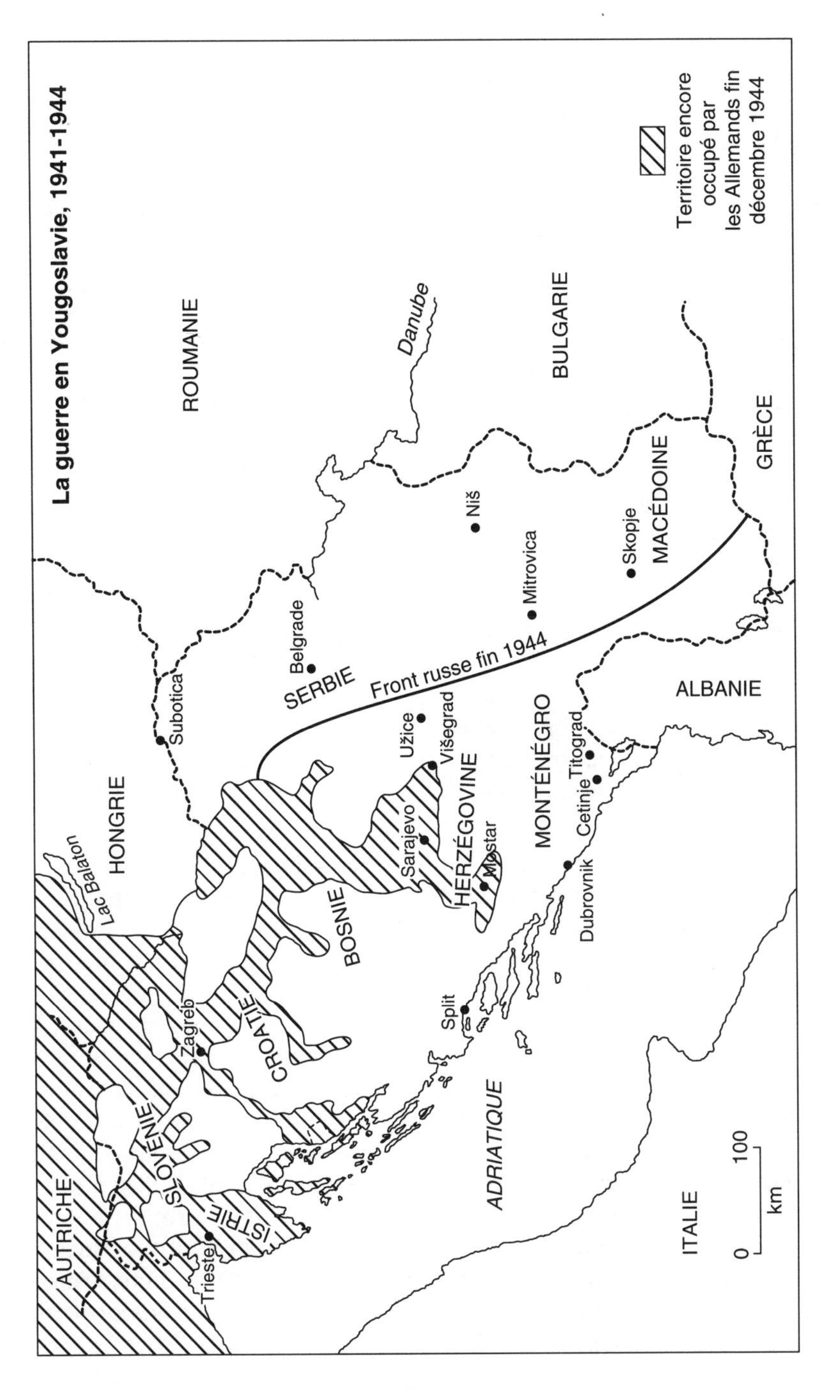
La guerre en Yougoslavie, 1941-1944
Territoire encore occupé par les Allemands fin décembre 1944
ROUMANIE
Danube
BULGARIE
HONGRIE
Lac Balaton
Subotica
Belgrade
SERBIE
Front russe fin 1944
Niš
Mitrovica
Skopje
MACÉDOINE
GRÈCE
ALBANIE
MONTÉNÉGRO
Titograd
Cetinje
Užice
Višegrad
HERZÉGOVINE
Sarajevo
Mostar
Dubrovnik
BOSNIE
Split
CROATIE
Zagreb
SLOVÉNIE
AUTRICHE
ISTRIE
Trieste
ADRIATIQUE
ITALIE
0
100
km

en Macédoine, il obtint aussi les deux cinquièmes des suffrages. Le prince héritier Alexandre qui était violemment anti-bolchévique fit en sorte de s'en débarrasser ; profitant d'une tentative d'assassinat contre sa personne, il fit voter en juillet 1921 une loi « de défense de l'État » qui interdit le Parti communiste et priva de leurs sièges ses membres. Le Parti entrait dans une période d'illégalité qui dura jusqu'en 1941.

Sa vie fut celle des partis frères interdits eux aussi : propagande clandestine, appui à tous les mouvements de mécontentement social, activité terroriste, etc. De ces années agitées émergea un de ses secrétaires généraux, Josif Broz, dit Tito (1892-1980). Né en Croatie d'une mère slovène, ouvrier métallurgiste, il fut mobilisé dans l'armée austro-hongroise pendant la guerre. Fait prisonnier sur le front russe, il participa à la Révolution bolchévique et adhéra au communisme. Rentré en 1920, il milita dans le parti, fut emprisonné de 1928 à 1935, fit ensuite plusieurs stages en URSS et travailla au Komintern. Là, il fut remarqué par le secrétaire général de l'organisation, le Bulgare Georges Dimitrov qui, à la fin de 1938 le nomma à la tête du Parti yougoslave qui se débattait alors dans des problèmes de structure interne. Il constitua un petit groupe de fidèles avec le Serbe Alexandre Ranković, le Slovène Eduard Kardelj, le Monténégrin Milovan Djilas. Au printemps de 1941, le Parti manifesta contre l'adhésion au Pacte tripartite, puis se mobilisa à l'appel de Staline face à l'attaque hitlérienne contre l'URSS, le 22 juin de cette année.

À partir de ce moment, le PCY mena une lutte qui, en quatre années, allait l'amener au pouvoir en Yougoslavie. Appliquant les consignes de Staline de large union des forces populaires, le mouvement des Partisans — ce fut son nom de résistance — déborda largement la base du Parti et s'attacha à enrôler les divers peuples dans une grande fraternité de lutte antifasciste. À la différence du colonel Mihaïlović, étroitement serbe — et foncièrement anticommuniste — les Partisans s'adressèrent à tous les Yougoslaves. Chassé de Belgrade par la police du général Nedić, Tito se transporta avec les siens en Bosnie orientale, tandis qu'au Monténégro, son collaborateur Milovan Djilas appliquait, contrairement à la ligne alors défendue, une politique dure, purement communiste. Durant l'été de 1942, Tito conquit toute la Bosnie centrale et occidentale, puis s'établit à Bihać où il créa l'Armée nationale de libération et un Conseil antifasciste — AVNOJ — qui détenait l'autorité civile et était présidé par le Dr Ivan Ribar, ancien président de l'Assemblée constituante de 1920. Ce conseil fit connaître ses vues sur l'avenir de la Yougoslavie : il se prononça pour une forme fédérale avec une large autonomie des républiques. Un conflit surgit alors dans la Macédoine occupée par la Bulgarie : la direction de la lutte appartenait-elle au Parti communiste bulgare ou à celui de la Yougoslavie ? Moscou trancha en faveur des seconds et Tito envoya en Macédoine Vukmanović-Tempo qui prit en mains la résistance. En Slovénie, en dépit d'une offensive italienne durant l'été 1942, les Partisans s'implantèrent solidement et constituèrent de forts maquis. Pendant le printemps de 1943, Tito eut à faire face à deux fortes offensives de la Wehrmacht appuyée par les Tchetniks de Mihaïlović. Il fut blessé, mais avait désormais à ses côtés deux officiers de liaison envoyés par Churchill pour apprécier son efficacité. La capitulation de l'Italie, en septembre 1943, entraîna le remplacement des troupes de Mussolini par la Wehrmacht et l'on assista à une lutte de vitesse pour s'emparer des équipements des armées italiennes : les Partisans obtinrent la part du lion en s'emparant du matériel de dix divisions. Tito convoqua alors l'AVNOJ à Jajce, en Bosnie, en novembre 1943. Le Conseil se transforma en Assemblée parlementaire de soixante-sept membres, désigna un « Comité de libération nationale » et mit à sa tête Tito promu maréchal de Yougoslavie. L'Assemblée décida la reconstruction du pays sur une base fédérale et interdit au roi Pierre de rentrer sur le territoire national en attendant le résultat d'un référendum. Face à ce nouveau pouvoir solidement implanté sur le terrain et fort de quelque trois cent mille combattants, le gouvernement royal installé au Caire ne faisait pas le poids : il s'appuyait sur les Tchetniks du général Mihaïlović déconsidérés hors de Serbie par leur collaboration avec l'ennemi. Churchill en tira les conséquences : à la Conférence de Téhéran, en décembre 1943, il en informa Staline et Roosevelt et dans les mois qui suivirent, retira les officiers anglais de l'entourage de Mihaïlović et envoya une mission importante auprès de Tito. En mai 1944, attaqué par les Allemands, le chef des Partisans fut obligé de se réfugier dans l'île de Vis, occupée par les Anglais. Ceux-ci s'efforcèrent d'arriver à un accord entre les deux gouvernements yougoslaves. Le roi confia la responsabilité du pouvoir au Dr Ivan Šubašić, ancien ban de Croatie, puis dans un message radiodiffusé le 26 août 1944, demanda à ses sujets de se rallier à l'Armée de libération et reconnut Tito comme chef de toutes les forces combattantes en Yougoslavie.

En septembre, la capitulation des armées bulgares libéra la Macédoine où les Partisans s'implantèrent solidement en établissant comme partout ailleurs, des « comités de libération » largement dominés par le PCY. Laissant les troupes soviétiques traverser la Vojvodine pour aller en Hongrie, Tito imposa que ses troupes fussent les premières à entrer dans Belgrade le 20 septembre 1944. Šubašić conclut un accord pour nommer trois régents, candidats de Tito mais non-communistes, puis se retira. Le 5 mars 1945, le chef du PCY, le maréchal Tito, devenait chef du gouvernement de la Yougoslavie. Il allait garder le pouvoir jusqu'à sa mort en 1980.

Enver Hoxha et le « modèle » titiste

En Albanie, les premiers groupes communistes se constituèrent au début des années trente en liaison avec Moscou, mais ils furent divisés par des querelles idéologiques, en particulier par les théories de Trotsky. En 1939, au moment de l'invasion de Mussolini, la confusion était totale : quelques communistes participèrent aux manifestations anti-italiennes mais il n'y avait pas de parti organisé. Celui-ci se structura en novembre 1941 à Tirana, sous l'autorité d'Enver Hoxha (1908-1985), leader du groupe de Korça où il était professeur de français. Quinze militants représentant les trois groupes de Korça, Shkodra et Tirana élirent un comité central de sept membres, affirmèrent une stricte référence au marxisme-léninisme et se prononcèrent pour la lutte armée. La présence à la réunion de deux envoyés de Tito a donné lieu à controverse, d'autant que la pratique de la lutte armée était déjà le fait des Yougoslaves ; Enver Hoxha défendit jusqu'à sa mort l'indépendance de son initiative. Quoi qu'il en soit, les communistes albanais passèrent à l'action dès la fin de 1941. Dans les villes, ils formèrent des unités de guérilla pour attaquer les occupants italiens, tandis que dans les montagnes de petites troupes s'en prenaient aux voies de communication et aux transports. Conseillers, matériel et armes yougoslaves répondirent à leurs premiers besoins. Tout comme les partisans titistes, le PCA convoqua à Peza, près de Tirana, en septembre 1942, une conférence qui réunit des communistes, des partisans du roi Zog alors en exil, des chefs catholiques du nord : elle décida la création d'un « Front de libération nationale » dirigé par un conseil où siégeait Enver Hoxha. La lutte se développa rapidement et à la fin de 1942, quelque deux mille hommes avaient libéré plusieurs zones dans le centre et le sud du pays.

Alors s'organisa une autre résistance, nationaliste. Des patriotes qui avaient protesté contre l'invasion italienne se regroupèrent en décembre 1942 et un « Front national » — *Balli Kombëtar* — très hostile aux Yougoslaves maîtres du Kosovo et orienté vers les Anglo-saxons. Les membres du PCY en mission en Albanie poussèrent les communistes albanais à la lutte contre ces éléments. Hoxha s'y opposa tout d'abord, puis la rupture eut lieu sur le terrain au moment de la capitulation de l'Italie en septembre 1943 : les Partisans s'emparèrent de l'armement de cinq divisions italiennes. Les Allemands occupèrent alors toutes les villes du pays, installant un Conseil de régence et un gouvernement. Le *Balli Kombëtar*, qui avait de nombreux liens avec l'administration nouvelle, donna l'ordre de ne pas attaquer les soldats allemands, tandis que les partisans de Zog essayaient de s'organiser de leur côté. Les communistes albanais se trouvaient isolés et se lancèrent dans la lutte contre les « collaborateurs » ; comme la Yougoslavie, l'Albanie s'enfonçait dans la guerre civile. En novembre 1943, la Wehrmacht lança une grande offensive et Enver Hoxha lui échappa de peu. En mai 1944, le PCA convoqua à Permet le « Premier Congrès antifasciste de libération nationale » qui mit en place une Assemblée de cent vingt députés et un comité de treize membres désigné comme le « gouvernement provisoire » et présidé par Enver Hoxha. Celui-ci devenait commandant en chef des forces armées avec le grade de colonel-général. C'était exactement le modèle yougoslave, au moment où Tito envisageait de faire de l'Albanie la septième république d'une Fédération socialiste des Slaves du Sud. Les partisans d'Enver Hoxha tenaient solidement le sud du pays en s'appuyant sur les communistes grecs et s'emparèrent des villes de Berat et de Gjirokastër. En septembre 1944, les trois-quarts du pays étaient libérés et Enver Hoxha envoya une mission au quartier général allié de Bari : après un essai infructueux de débarquement en Albanie, les Anglais acceptèrent de cesser tout soutien aux autres mouvements de résistance.

Le 22 octobre, à Berat, le comité antifasciste devint le « Gouvernement démocratique d'Albanie » dont Enver Hoxha était le président et le ministre de la Défense ; neuf communistes siégeaient avec lui. En novembre, la Wehrmacht évacua le pays et le 28 novembre — jour anniversaire de l'indépendance de 1912 — les Partisans s'emparèrent de Tirana. Le pays libéré était dominé par le Parti communiste albanais sur lequel planait l'ombre de Tito.

5. Le communisme en Bulgarie et en Grèce

La résistible montée en puissance du PCB

En Bulgarie, en 1903, le Parti social-démocrate s'était, comme son homologue de Russie, divisé en deux : les « larges » — *široki* — semblabes aux Mencheviks et les « étroits » — *tesni* — proches des Bolcheviks. Les tesni s'étaient ouvertement prononcés contre la guerre tant lors des conflits balkaniques que lors du premier conflit mondial. En septembre 1918, aiguillonnées par la Révolution russe, les troupes bulgares suivirent certains leaders qui organisèrent une « République de Radomir » (26-30 septembre) sur le modèle bolchévique. Les socialistes bulgares connurent les mêmes déchirements que leurs camarades roumains ou yougoslaves et décidèrent au printemps de 1919 la formation d'un « Parti communiste » (BKP) à partir de la fraction « étroite » du Parti social-démocrate de D. Blagoev. Aux premières élections qui suivirent en octobre, le BKP obtenait le cinquième des sièges au Parlement, devenant d'emblée le plus important des partis communistes des Balkans. Sous l'impulsion de son secrétaire général Vasil Kolarov, très docile à la IIIe Internationale, le parti participa au mouvement des grandes grèves de l'automne 1919, ce qui le mit en conflit avec le gouvernement agrarien de Stambolijski. Il ne bougea pas lors du coup de force qui mit fin à cette expérience en juin 1923. Le Komintern s'en inquiéta, blâma la direction du BKP et lança un mot d'ordre d'action commune avec les paysans. De là la tentative de soulèvement armé de septembre 1923 qui tourna au désastre. Le Parti communiste fut interdit, nombre de ses chefs partirent en exil, tandis qu'une « terreur blanche », dénoncée par Henri Barbusse dans son pamphlet *Les Bourreaux*, s'abattait sur le pays, faisant plus de vingt mille victimes.

Le BKP entrait dans une période d'illégalité de vingt et un ans, marquée par de vifs conflits internes. Une déviation gauchiste se traduisit en 1925 par un attentat contre le roi Boris à l'église Sveta Nedelja de Sofia, attentat qui fit cent vingt huit morts et plus de trois cents blessés : la « terreur blanche » redoubla. En janvier 1933, les hitlériens parvinrent au pouvoir en Allemagne et l'un de leurs premiers gestes fut d'incendier le Reichstag. La gestapo arrêta à cette occasion trois communistes bulgares dont Georges Dimitrov (1882-1949) qui devint le héros du procès de Leipzig. Après son acquittement, le gouvernement bulgare refusa de le recevoir et Staline lui offrit l'asile politique ; devenu citoyen soviétique, il fit le rapport principal au VIIe congrès de l'Internationale qui préconisait une politique de rassemblement des forces populaires et devint secrétaire général de l'Internationale communiste (Komintern). Désormais, le BKP était bien tenu en mains par Moscou. Ses militants soutinrent en 1940 une proposition de l'URSS qui offrait à la Bulgarie un traité de non-agression et d'amitié : des milliers de signatures furent ainsi recueillies. Mais les Allemands l'emportèrent et le 1er mars 1941, le roi Boris adhérait au Pacte tripartite. À partir du mois de juin, les communistes bulgares répondirent à l'appel de Staline face à l'agression nazie ; ils y furent encouragés par une opinion publique qui restait fidèle à « l'amitié russe » et face à laquelle le roi refusa de s'engager dans la guerre comme le lui demandait le Reich. Jusqu'en juillet 1942, l'action des communistes consista en sabotage d'installations militaires ou voies de communication. Elle bénéficia aussi de complicités dans l'armée bulgare : un général fut condamné à mort et exécuté comme « agent bolchévique ». En URSS, G. Dimitrov avait organisé un poste émetteur qui diffusait informations et mots d'ordre et touchait un vaste public. En juillet 1942, le BKP lança un appel au rassemblement de toutes les forces progressistes et organisa un « Front de la Patrie » qui réunit quelques leaders du Parti agrarien comme Nikola Petkov et du Parti social-démocrate. Il prévoyait le renversement du gouvernement Filov et son remplacement par une vaste union démocratique et populaire. À la fin de l'année, une centaine de comités du Front diffusaient une presse clandestine abondante. Après la défaite allemande de Stalingrad, les communistes bulgares établirent des liaisons avec les partisans de Tito et avec leurs homologues grecs. En août 1943, le mouvement mit sur pied un Comité national du Front qui réunit les représentants de cinq partis politiques et prit contact avec Londres. Au début de 1944, on estimait à environ dix mille les membres des maquis et des groupes armés.

Les Bulgares vivaient l'avancée de l'Armée rouge avec sympathie : le 18 mai 1944, Moscou exigea la réouverture immédiate des consulats soviétiques de Varna et de Burgas et le chargé d'affaires à Sofia sut tirer parti de la situation. Le coup d'État roumain du 23 août ouvrait aux troupes soviétiques la route de Sofia. Le Parlement réaffirma la neutralité bulgare et le 2 septembre, un nouveau gouvernement déclara ne plus être en guerre avec les États-Unis et l'Angleterre. Il était trop tard. Le BKP et le Front de la Patrie diffusaient un mot d'ordre d'action, tandis que Moscou déclarait la guerre à la Bulgarie. Le 8 septembre, l'Armée rouge, venant de la Roumanie, franchissait les frontières du pays. Dans la nuit, des groupes armés se rendirent maîtres de Sofia, arrêtant les régents et les membres du gouvernement. Le 9 septembre, une proclamation à la radio annonçait la formation d'un nouveau Conseil de régence avec le communiste Todor Pavlov et d'un gouvernement du Front de la Patrie. La Bulgarie gardait son roi, le jeune Siméon II, mais le pouvoir était déjà fortement dominé par les communistes.

De la clandestinité à la résistance nationale grecque

En Grèce, dès 1906, des groupes de socialistes s'étaient formés qui donnèrent naissance à un Parti social-démocrate, particulièrement développé à Thessalonique et à Athènes. En 1915, il obtint deux sièges à la Chambre. De 1915 à 1920, quatre conférences socialistes réunirent les militants d'une dizaine de villes et en 1918 se tint à Athènes le premier congrès du Parti socialiste grec. Celui-ci fut actif dans les grèves de 1918-1919, mais en avril 1920 se divisa : son aile gauche forma le Parti communiste grec, le KKE, membre de la IIIe Internationale. Désormais, il se développa dans un pays ravagé par la misère des réfugiés d'Asie Mineure. En 1925, profitant du coup d'État militaire du général Pangalos, il participa à la campagne électorale qui suivit et fit son entrée au Parlement avec dix députés. Toutefois, en 1929, le gouvernement de Venizelos prit une loi sur « les mesures de sécurité de la société », qui interdisait la propagation des idées communistes et prescrivait la dissolution des organisations qui s'en réclamaient. Le Parti communiste grec connut ainsi une période de semi-clandestinité qui se transforma en août 1936 en clandestinité totale. Le coup d'État du 4 août du maréchal Metaxas prit comme prétexte la décision des syndicats — dont le Syndicat unitaire communiste — de déclencher une grève générale. Deux heures avant son déclenchement, Metaxas suspendait plusieurs articles de la constitution sous prétexte que « le communisme menaçait d'ensanglanter le pays ». Tous les partis politiques furent interdits et de nombreux communistes furent arrêtés et envoyés dans les bagnes des îles.

L'occupation de la Grèce par les Italiens, les Allemands et les Bulgares en avril 1941 provoqua le développement d'une résistance dans laquelle le Parti communiste affirma vite sa prééminence. Il répondit à l'appel de Staline de juin 1941 et dès le 21 septembre constitua le « Front national de libération » — l'EAM — auquel participèrent des socialistes et divers groupes de gauche. Son programme était très ouvert : après la libération, on formerait un gouvernement d'union nationale qui poserait au peuple la question du retour du roi. Le mot socialisme était absent du texte qui avait cependant était rédigé par un membre du KKE, tandis que d'autres membres occupaient les postes clés de l'organisation. Le Front mit sur pied des unités armées qui formèrent « l'Armée populaire de libération nationale » — l'ELAS — et dont les premiers maquis se manifestèrent en mai 1942 dans la région du Pinde : ce furent les *Andartes* (Partisans). À côté d'eux, d'autres mouvements de résistance se structurèrent, en particulier l'EDES, sous l'égide du général républicain Plastiras. Entre ces mouvements, des conflits éclatèrent bientôt pour le contrôle des zones libérées. Les Anglais parachutèrent des armes aux éléments anticommunistes pour rétablir l'équilibre : peine perdue, en automne 1943, les Andartes étaient cent vingt mille, l'EDES ne pouvait aligner qui treize cents hommes ! La capitulation italienne bouleversa l'équilibre des forces : l'ELAS s'empara des armes des unités ennemies et ne souffrit plus de la discrimination anglaise des parachutages. L'ELAS en profita pour essayer d'éliminer l'EDES et les affrontements fratricides durèrent jusqu'en février 1944. À cette date, l'EAM se crut assez fort pour organiser un véritable « État des montagnes » avec écoles, journaux, services publics, etc. ; chaque village était administré par un « conseil populaire » élu. Le Front proclamait son caractère rassembleur avec ses six évêques et ses quinze cents officiers de l'ancienne armée, mais son organisation était toujours dominée par les 15 à 20 % de communistes. Le 10 mars 1944, le Front mettait sur pied un gouvernement provisoire qui organisa des élections auxquelles prirent part, assura-t-il, un million de Grecs. Son siège était dans le Pinde, où se réunit un conseil national. En octobre 1944, la Wehrmacht évacua Athènes et le 18, y débarquait le gouvernement royal en exil, accompagné de troupes anglaises qui occupèrent la ville. L'ELAS essaya de résister, une manifestation fit une quinzaine de morts et marqua le début d'une guerre civile qui dura six semaines. Staline laissa faire Churchill et envoya un ambassadeur auprès du gouvernement d'Athènes. Le 12 février 1945, l'EAM et ses troupes de l'ELAS mirent bas les armes et signèrent un accord établissant les bases d'une paix civile : toutes les formations étaient désarmées moyennant garantie d'une amnistie et l'égalité des droits politiques.

Les troupes britanniques du général Scorbie occupaient le sud des Balkans, équilibrant en quelque sorte les unités de l'Armée rouge qui en tenaient le nord.

Chapitre 6

— Pour ou contre Moscou —

Jusqu'à la Seconde Guerre mondiale, les peuples des Balkans prirent leurs modèles politiques dans les pays de l'Europe occidentale : démocratie ou fascisme, tandis que de petits groupes ralliés à l'idéologie communiste regardaient vers l'URSS. La victoire des armées soviétiques sous Staline changea complètement la situation : l'entrée de l'Armée rouge en Roumanie et en Bulgarie, la victoire des résistances communistes en Yougoslavie et en Albanie imposaient d'emblée le modèle de Moscou, tandis que la Grèce, au prix d'une guerre civile de trois années, choisissait le modèle occidental.

1. La prise de pouvoir par les communistes en Roumanie et en Bulgarie

Dans ces deux pays, c'est l'entrée de l'Armée rouge qui fut le facteur décisif de ce que l'on appela la « Révolution ». En fait, le roi Michel de Roumanie et son entourage voulurent devancer les maréchaux soviétiques en faisant arrêter les Antonescu le 23 août 1944, tandis que le Bulgare Muraviev essayait le 5 septembre d'empêcher les combats avec les Soviétiques en rompant avec l'Allemagne, sans succès.

En Roumanie, le gouvernement du général Sănătescu réunit les représentants des quatre principaux partis et rétablit la Constitution de 1923. Un « Front national démocratique » fut constitué à l'initiative du Parti communiste ; il participa au gouvernement et surtout chassa les administrations régionales qu'il prit en mains. Un conflit surgit à propos de la réforme agraire, des manifestations du Front national provoquèrent des morts et l'intervention du vice-ministre des Affaires étrangères de l'URSS, A. Vychinsky, qui imposa le nouveau chef de gouvernement, Petru Groza, président du Front, en mars 1945. Dans le

D'après G. Castellan, *Histoire des Balkans,* éd. Fayard

PCR, Ana Pauker et Vasile Luca, deux émigrés à Moscou pendant la guerre, équilibraient deux hommes de l'intérieur, Gheorgie Gheorghiu-Dej (1901-1965), secrétaire général depuis octobre 1945 et Teohari Georgescu, le ministre de l'Intérieur qui mit sur pied la redoutable police politique — *Securitate*. Ana Pauker se lança dans un vaste programme de recrutement : le PCR qui n'avait qu'un ou deux milliers de militants atteignit 258 000 membres en octobre 1945 ; parmi eux, beaucoup de gens douteux, survivants de la Garde de fer ou trafiquants divers. Les élections « libres » promises à la conférence de Yalta eurent lieu en novembre 1946. On écarta des urnes les « collaborateurs », ce qui ouvrait la voie à tous les arbitraires et les nouvelles administrations pratiquèrent, dans les campagnes surtout, des actes de fraude et de violence. Le Bloc gouvernemental obtint — officiellement — 79,86 % des voix et l'opposition 8 %. Cela donna au gouvernement Groza la possibilité de nationaliser toutes les banques, tandis qu'un grand ministère de l'Industrie et du Commerce dirigé par G. Gheorghiu-Dej prépara une planification de l'économie et une drastique réforme monétaire qui priva les bourgeois et les paysans de toutes leurs économies. Le mécontentement fut tel que les partis traditionnels essayèrent de l'exploiter : le gouvernement réagit en se débarrassant du Parti paysan : son leader, J. Maniu fut condamné à la prison à vie, tandis que le Parti libéral, dont le chef Tătărescu était encore ministre des Affaires étrangères, fut dissous. P. Groza appela Ana Pauker à succéder à Tătărescu, Vasile Luca fut nommé au ministère des Finances : c'était la victoire des « moscovites ». Restait à se débarrasser du roi. Prétextant un projet de mariage qui coûterait trop cher, P. Groza et G. Gheorghiu-Dej demandèrent à Michel de se retirer. Ce qui fut fait le 30 décembre 1947. À l'unanimité, l'Assemblée nationale proclama la « République populaire roumaine » et confia le pouvoir exécutif à un conseil de cinq membres présidé par un endocrinologue connu, C. Parhon. Les communistes étaient les maîtres en Roumanie.

En Bulgarie, les méthodes furent semblables. Le coup de force du 9 septembre 1944 mit en place de nouveaux régents et un gouvernement du « Front de la Patrie » présidé par le colonel Kimon Georgiev, l'un des réalisateurs du coup de force de 1934. Le Parti communiste était plus fort qu'en Roumanie, autour de dix mille membres, et fit un brutal effort pour briser toute opposition ; une « milice populaire » procéda à des arrestations en masse ; les anciens régents et membres du gouvernement furent jugés dès décembre 1944 et exécutés. Vis-à-vis des partis politiques « bourgeois », on élimina leurs chefs pour mettre à leur tête des hommes disposés à collaborer avec le nouveau pouvoir. Un vif conflit eut lieu cependant à propos des élections pour lesquelles le PCB voulait présenter une liste unique, tandis que ses alliés préféraient des candidatures séparées. Retardées jusqu'en novembre 1945, elles furent caractérisées par des irrégularités et donnèrent au Front de la Patrie 86 % des voix. Puis la monarchie fut abolie : ayant perdu deux guerres, cette institution n'était pas très populaire et un plébiscite décida, en septembre 1946, de son sort. De nouvelles élections eurent lieu pour désigner une Assemblée constituante en octobre ; elles donnèrent 78 % au Front et 22 % à l'opposition. Georges Dimitrov, qui avait été élu président du Front alors qu'il était encore à Moscou d'où il rentra en novembre 1945, devint le Premier ministre en novembre 1946 et le resta jusqu'à sa mort en juillet 1949. Au début de 1947, la Bulgarie était entièrement sous le contrôle des communistes.

2. Le Modèle de Moscou

Construire une « cité idéale »

Ces hommes qui arrivaient au pouvoir — de même que les chefs des Partisans yougoslaves et albanais — avaient un rêve : une transformation totale de la société sur le modèle de l'URSS de Staline.

L'idéologie était celle du marxisme-léninisme accommodé à la vision des chefs du Kremlin. Il s'agissait de construire une société sans classe à partir de la dictature du prolétariat. Celle-ci — théoriquement temporaire — devait être réalisée par la prise de la totalité du pouvoir par le parti communiste, défini comme « l'avant-garde consciente » de la classe ouvrière.

Les institutions politiques mises en place à partir de luttes sévères comme en Roumanie ou en Bulgarie, soit par l'application directe des modèles staliniens comme en Yougoslavie ou en Albanie, présentèrent un grand caractère de similitude. Les constitutions imitées de celle de 1936 en URSS proclamaient que le peuple détenait le pouvoir suprême. Il l'exprimait par des élections à une « Grande Assemblée nationale » auxquelles concouraient le Parti communiste et un certain nombre de partis ou organisations (de jeunesse, des femmes, etc.) qui avaient accepté de faire avec lui des listes communes. Le résultat fut que ces assemblées étaient en fait unicolores et prenaient toutes les décisions à l'unanimité : d'où leur caractère de chambres d'approbation. Le gouvernement fut choisi parmi la majorité, c'est-à-dire en fait reflétait l'unanimité de l'Assemblée. On avait ainsi au niveau central une « démocratie formelle ».

Car la réalité du pouvoir appartenait au Parti communiste. Celui-ci constituait une pyramide d'organismes depuis les cellules des usines, des coopératives paysannes et des bureaux à la base jusqu'à un sommet qui était le Bureau politique élu par le Comité central. Ce Comité désigné lors des congrès du Parti représentait théoriquement la volonté de la totalité des membres. Il élisait également le secrétariat dont le Premier secrétaire — ou secrétaire général — était le véritable chef du Parti. En même temps, il était le chef de l'État, président de la République, comme Tito, ou président du Praesidium comme Gheorghiu-Dej, car au sommet et jusqu'aux échelons les plus modestes du pouvoir, il y avait fusion entre l'autorité de l'État et l'autorité du Parti. Les membres du Bureau politique avaient leurs domaines de responsabilité : affaires étrangères, industrie, agriculture, défense et les ministres n'étaient que les exécutants des décisions du Bureau. Tous les choix politiques importants étaient faits à ce niveau et non pas à celui du gouvernement qui était simplement chargé de les traduire en lois et décrets. Pour certaines d'entre elles, on demandait à l'Assemblée, dont les sessions étaient courtes, un vote d'approbation toujours obtenu. En fait, cette belle ordonnance se heurtait aux rivalités et aux ambitions des hommes : ces quarante-cinq ans de pouvoir communiste ont été marqués par d'innombrables crises, contenues en général à l'intérieur du parti et qui ont eu pour point de départ des oppositions personnelles.

Les partis communistes devaient s'efforcer — et s'efforcèrent — d'être les représentants de la classe ouvrière. Opération difficile dans des sociétés qui, à 80 % et plus, étaient paysannes. En fait, lorsqu'ils prirent le pouvoir, les PC balkaniques peu nombreux ne regroupaient que des intellectuels, des ouvriers et des paysans pauvres. Tous pratiquèrent par la suite une vaste politique de recrutement parfois scandaleusement arbitraire comme le fit Ana Pauker : les avantages de carrière, de logement, d'études pour les enfants furent des arguments puissants. Mais à côté des anciens résistants, des combattants de la première heure vinrent se regrouper des masses de plus en plus importantes d'opportunistes que l'on dénonça volontiers comme des « carriéristes ». Les élections des délégués aux congrès, au Comité central, voire au Bureau politique virent se développer toutes les manœuvres habituelles des partis, avec cette circonstance aggravante d'une unanimité proclamée. Quoi qu'il en soit, on se félicita, à l'occasion des congrès, des « progrès » de la composition des partis par argumentation du pourcentage des ouvriers. Mais il faut souligner que tout l'appareil du Parti et de l'État fut toujours comptabilisé d'après son origine sociale, même après vingt ans et plus de carrière administrative. À noter toutefois que suivant les pays, la composition des Partis varia de façon notable : en 1976, les paysans représentaient 23 % des communistes bulgares, 20 % des roumains, mais 5 % seulement dans la Ligue des communistes de la Yougoslavie. On avait ainsi une indication sur la pénétration — théorique — du communisme dans les campagnes.

Construire, c'est détruire l'ordre bourgeois

La construction de la société sans classe postulait la disparition du capitalisme et de ses tenants de la bourgeoisie. Pour cela, toute une législation fut appliquée à un rythme rapide pour nationaliser les banques, les grandes entreprises, le commerce extérieur, tandis que les artisans et les petits commerçants durent adhérer à des coopératives. Pour la propriété et l'exploitation de la terre, le modèle soviétique des kolkhozes et des sovkhozes était l'objectif à atteindre, mais les résistances furent acharnées par les paysanneries, au point que la Yougoslavie renonça, dès 1950, à « socialiser » les campagnes et que les autres pays durent prendre des mesures successives échelonnées dans le temps. L'on s'efforça alors de fournir aux « coopérateurs » les moyens mécaniques nécessaires aux grandes exploitations. Ayant ainsi pris en mains la quasi-totalité des instruments de production, l'État s'arrogea le droit d'en fixer le rythme de développement qui devait aboutir à un accroissement permanent des salaires, c'est-à-dire à une augmentation du niveau de vie. Tous les congrès du Parti multiplièrent les calculs de pourcentage de la production par rapport aux années de l'immédiat avant-guerre. Ce développement était « planifié » suivant des Plans de courte durée d'abord, puis de cinq ans — Plan quinquennal — qui étaient élaborés par un office très important correspondant au Gosplan soviétique et qui étaient approuvés par le Bureau politique et le congrès du Parti, puis votés par l'Assemblée nationale.

Le résultat de tout cela était une société dans laquelle on ne comptait que des « travailleurs » — ouvriers et paysans — et des intellectuels de l'« Intelligentsia progressiste ». En fait se dégagea une nomenklatura qui comprenait les dirigeants du Parti, les fonctionnaires de l'État — souvent les mêmes — les directeurs des entreprises nationalisées et des grands sovkhozes qui jouissaient de nombreux privilèges, voyageaient à l'étranger et présentaient l'image que le système voulait donner de lui-même. Pour les autres, c'était la médiocrité assurée — il n'y avait pas de chômage — mais sans aucune perspective de vie. L'adhésion au Parti était la seule issue. Cela voulait dire des contraintes sur le plan de la pensée, une acceptation des décisions d'un organisme tout puissant, une familiarité avec la police politique qui contrôlait la vie quotidienne. L'on comprend que les révolutionnaires de 1989 aient réclamé avant tout la liberté.

3. Le communisme bulgare

Fidélité à Moscou

Ce fut assurément le plus docile à Moscou. Suivant le mot d'ordre de Staline, la construction d'une industrie lourde au détriment de l'industrie légère et de l'agriculture fut adoptée avec enthousiasme. Un plan biennal 1947-1948 fut suivi par une série de plans quinquennaux pour la réalisation desquels l'aide de l'URSS fut importante. La Bulgarie manquait de matières premières, de techniciens et de managers ; pour ces derniers, on fit appel à des Soviétiques dont les salaires étaient trois ou quatre fois supérieurs à leurs homologues bulgares.

Georges Dimitrov, chef du gouvernement, se débarrassa de la dernière résistance, celle de l'Union agraire dont le leader Nikola Petkov avait pourtant collaboré avec les communistes pendant la guerre ; il fut arrêté et exécuté en septembre 1947, en dépit de protestations américaines. La crise avec la Yougoslavie et la condamnation de Tito en juin 1948 provoqua de vives luttes dans le Parti. Traïcho Kostov, un des chefs de l'intérieur, en charge de l'économie, avait été le témoin des pratiques soviétiques dans ce domaine et essaya de s'y opposer. Il se heurta à Vulko Tchervenkov, émigré à Moscou jusqu'en 1945 et beau-frère de G. Dimitrov ; accusé d'antisoviétisme et de nationalisme, Kostov fut exécuté en décembre 1949 lors de la purge qui suivit la mort de Dimitrov à Moscou en juillet. Kolarov, qui avait succédé à Dimitrov, était mort peu après. Tchervenkov, très docile à Moscou, prit le pouvoir en janvier 1950 et le garda jusqu'en 1956. Pendant ce temps, on mit en place les bases de l'industrie lourde et l'on s'efforça de collectiviser l'agriculture. Les Bulgares avaient une réputation traditionnelle de jardiniers et portaient leurs efforts sur la petite propriété personnelle — 0,2 à 0,5 ha — que leur laissait la coopérative ; en 1958, ils produisaient ainsi 52 % de la viande et 40 % du lait consommés dans le pays ! Cependant, on créa un millier de grandes fermes de plus de quatre mille hectares et en dépit des résistances des paysans, un ordre nouveau vit le jour dans les campagnes.

Todor Jivkov

La mort de Staline en mars 1953 porta un coup à Tchervenkov et en 1954, suivant l'exemple soviétique, l'on procéda à la séparation des tâches entre le Parti et l'État ; il garda la direction du gouvernement, tandis que Todor Jivkov devenait secrétaire général du Parti à quarante trois ans. Tchervenkov fut éliminé à son tour quand Khrouchtchev établit son pouvoir à Moscou. À ce moment, le IIIe Plan quinquennal était assez modéré dans ses objectifs mais une délégation du Parti se rendit en Chine où Mao Zedong lançait le « Grand bond en avant ». Impressionné, le PCB voulut faire la même chose et mobilisa la population dans cette perspective : ce fut un fiasco et la brouille Moscou-Pékin qui suivit, permit de ne plus en parler. En mai 1962, Khrouchtchev fit une longue visite dans le pays et manifesta son appui à Todor Jivkov qui, depuis avril 1956, était le chef du gouvernement, tout en restant secrétaire général du Parti. À partir de ce plenum du Comité central d'avril 1956, Jivkov fut le maître de la Bulgarie. Né en 1911, d'une famille de paysans pauvres, il adhéra très jeune au PCB, participa à Sofia aux combats qui accompagnèrent le coup d'État de septembre 1944, puis fit une brillante carrière dans le Parti, devenant membre du Comité central en 1948 et premier secrétaire en 1954. Il prit solidement en mains le parti, entouré d'un groupe dont certains éléments furent sujets à caution : telle sa fille Ludmila, ministre de la Culture et son entourage. En dehors d'un « complot pro-chinois » — ce fut l'accusation officielle — en 1965, qui se traduisit par un suicide et neuf condamnations à la prison, le cours de l'ère Jivkov fut calme dans l'ensemble. L'économie restait « stalinienne » dans son organisation. On construisit près de Sofia le combinat métallurgique de Kremikovtsi qui ouvrit en 1963, mais qui malgré l'aide soviétique, apparut bientôt comme un fardeau très lourd pour le pays. Sur le plan de l'agriculture, on organisa de grands « complexes agro-industriels » qui s'efforcèrent de nourrir la population et d'exporter ; programme difficile à tenir et qui entraîna de nombreuses modifications dans la marche de ces complexes. C'est ce que l'on appelait le « développement accéléré de la société socialiste ».

La condamnation de Tito par le Komintern fut suivit d'une vive tension à la frontière bulgaro-yougoslave et posa, sous une forme nouvelle, le problème de la Macédoine. Alors que Sofia, pour plaire à Belgrade, avait reconnu l'existence d'une « nation » macédonienne, le PCB se mit de nouveau à considérer les Macédoniens comme des Bulgares suivant la tradition ancienne. En 1965, on recensa seulement 8 750 « Macédoniens » dans le pays. Le problème resta toujours délicat avec la Yougoslavie et les dirigeants de Skopje étaient considérés comme des « traîtres » à la cause nationale. Avec la Grèce, les suites de la guerre civile dans ce dernier pays furent longues à effacer. Pendant les années cinquante, la frontière helléno-bulgare fut fermée et les communications par chemin de fer, automobile et même téléphone interdites. La situation changea avec l'arrivée au pouvoir à Athènes de Georges Papandreou qui signa en 1964 un accord de coopération économique et culturelle. La politique extérieure de la Bulgarie fut de plus en plus étroitement liée à l'URSS : on était fier, à Sofia, de conserver sur la place principale, la statue du « tsar libérateur » Alexandre II, fleurie à toutes les occasions. Sur le plan commercial, l'URSS était — de beaucoup — le premier fournisseur et le premier client de la Bulgarie communiste.

À la différence de ses voisins, le pays n'avait pas de gros problèmes de minorités. Seule restait éparse en Dobrudja, sur les bords de la mer Noire et dans le Rhodope, une population « turque » dans laquelle il fallait distinguer des Turcs à proprement parler, descendants des Ottomans et des Pomaks *(Pomaci)*, population musulmane qui parlait le bulgare. À la fin de la guerre, on les estimait à près d'un million. Dans les années cinquante, un accord fut signé avec la Turquie qui permit l'émigration de 150 000 à 200 000 d'entre eux. Puis ils furent soumis aux mêmes lois que les Bulgares, obtenant des écoles primaires turques, des journaux et un embryon de vie culturelle. Mais la politique officielle était d'assimilation. En 1987, Jivkov vieillissant se laissa persuader que celle-ci était suffisamment avancée : une loi obligea tous les membres de la communauté à « bulgariser » leur nom et à adopter des prénoms chrétiens ou laïcs. Les populations résistèrent : il y eut des morts dans les villages cernés par la troupe. Ce fut l'une des dernières « réformes » de Jivkov. Malgré un officiel *Perustroïstvo* — frère fragile de la perestroïka — le système restait immobile. Mais face à un mécontentement qui commençait à s'exprimer, quelques plus jeunes dirigeants préparaient en secret la relève. Le 10 novembre 1989, un vote au Politburo renversait à une voix de majorité le vieux tsar et nommait à sa place Petǎr Mladenov, un apparatchik réformateur. Le 3 avril, Mladenov, devenu président de la République, transformait le PCB en Parti socialiste bulgare (PSB) et entamait une réforme économique. C'était un premier pas vers la fin du communisme bulgare.

4. Le communisme roumain

La tutelle soviétique

Globalement fidèle à Moscou, le PCR connut cependant une longue période de réserve, voire d'hostilité, caractérisée par un flirt avec Pékin et par un vif conflit à propos du Comecon.

La Roumanie faisait partie des Alliés de l'Axe et c'est un pays diminué que le PCR eut à gouverner : la Bessarabie et le nord de la Bukovine restaient possessions de l'URSS, la Dobrudja du sud faisait retour à la Bulgarie, mais elle récupérait la Transylvanie du nord sur la Hongrie. Telles avaient été les décisions du traité de Paris de 1946. De plus, l'URSS lui imposait de lourdes réparations qui, comme chez les autres ex-alliés de l'Axe, prirent la forme de réquisitions de matériel industriel et de matières premières, de constitution de sociétés soviéto-roumaines pour exploiter les ressources du pays. En avril 1948, une nouvelle constitution fut adoptée et une législation introduite qui permit la nationalisation des banques, compagnies d'assurance, mines, usines, transports : deux ans après, mille soixante entreprises, représentant 90 % de la production étaient entre les mains de l'État. En juillet 1948, un office central de planification fut inauguré : comme en Bulgarie, l'URSS apporta son aide pour la réalisation des plans et l'économie roumaine fut étroitement dépendante de celle de l'Union soviétique. La collectivisation de l'agriculture était évidemment un des objectifs du pouvoir, mais l'opposition des paysans l'obligea à agir avec prudence. Dès l'hiver 1949-1950, des fermes collectives furent créées, mais on ne put leur fournir les tracteurs nécessaires. Le mouvement freiné pendant quelques années fut finalement achevé en 1962.

Le problème des minorités qui avait empoisonné la vie de la Roumanie de Versailles continuait à se poser : Hongrois, Allemands, Serbes et Turcs représentaient, en 1950, 12 % de la population. Les Allemands, les Serbes et les Turcs furent affaiblis par une forte émigration. Restaient les Hongrois de Transylvanie : 1,6 million en 1956. Pour éviter de violents conflits, on constitua en 1952, un « District autonome hongrois » composé de régions où les Magyars représentaient 77 % de la population. Moyennant quoi l'émigration leur était interdite.

En février 1948, le PCR et le Parti socialiste fusionnèrent pour former le Parti ouvrier roumain (PMR) dont le secrétaire général fut G. Gheorghiu-Dej. Le PMR était alors dominé par le groupe des « moscovites », Ana Pauker, Vasile Luca, anciens émigrés dans la capitale de l'URSS, mais qui avaient en face d'eux le leader des communistes de l'intérieur, Georghiu-Dej. Celui-ci se servit de la crise yougoslave de juin 1948 pour se débarrasser d'un intellectuel qui jouissait d'un grand prestige dans le Parti, Lucretiu Pătrăscanu, qui fut écarté du pouvoir avant d'être emprisonné et fusillé seulement en 1954, victime de la vindicte personnelle de Georghiu-Dej. En mai 1952, ce dernier s'étant assuré de l'accord de Staline, se tourna contre les « moscovites » : Vasile Luca fut condamné à mort puis gracié et condamné à la prison à vie, Ana Pauker fut privée de toutes ses charges et mise en résidence surveillée.

Gheorghiu-Dej et le Communisme national

En juin 1952, G. Gheorghiu-Dej devenait chef du gouvernement tout en restant le chef du Parti : il était le maître de la Roumanie et devait le rester jusqu'à sa mort en mars 1965.

Né en Moldavie en 1901, il participa très jeune à des activités révolutionnaires et fut arrêté en 1933 pour sa participation à une grève des cheminots. Il fut condamné à douze ans de prison et incarcéré à Dej en Transylvanie, d'où son nom. Staliniste convaincu, il fut assez adroit pour surmonter la crise de la « déstalinisation » en URSS, affirmant qu'Ana Pauker et Vasile Luca avaient précisément été, avant les autres, chassés comme « staliniens » ! Il approuva avec force l'intervention de l'Armée rouge en Hongrie en novembre 1956 qui avait provoqué une vive tension en Transylvanie ; Imre Nagy fut emprisonné dans une caserne soviétique de cette région avant d'être ramené en Hongrie pour y être jugé. Toutefois, en juillet 1959, l'université de Cluj fut divisée et une université autonome hongroise — Bolyai Université — fut créée ; en 1960, les frontières du district autonome furent élargies.

Alors commença une période que l'on a qualifiée de « communisme national ». Avec son ancien avocat devenu ministre des Affaires étrangères, George Maurer, Gheorghiu-Dej s'efforça de résister aux efforts de Moscou pour renforcer le Comecon et le Pacte de Varsovie. Ils étaient sûrs de répondre à un vœu de la population roumaine. Khrouchtchev voulait alors réorganiser le Comecon, de façon à aboutir à une division du travail dans laquelle les pays balkaniques étaient destinés à fournir les produits agricoles et les matières premières tandis que l'URSS, la RDA, la Tchécoslovaquie, la Hongrie fourniraient des machines et des appareils techniques. Dès 1963, la Roumanie qui projetait de créer un gigantesque complexe sidérurgique à Galati, fit des objections et en avril 1964, publia un texte de résolutions sur « les problèmes du Monde communiste et du mouvement de la classe travailleuse » qui fut en fait la plus importante déclaration de politique extérieure de la Roumanie depuis la guerre: il affirmait le droit de chaque État socialiste à la souveraineté, en particulier dans le domaine de la politique socio-économique. La même position fut prise à propos du renforcement du Pacte de Varsovie : la Roumanie s'opposait à l'institution d'une forte autorité centrale permettant l'intervention dans les affaires intérieures des membres de l'alliance. À cette époque, la Roumanie multiplia les gestes en direction de la Chine brouillée avec Moscou, au point que l'on parla parfois d'un « axe Pékin-Bucarest ».

LE PRÉSIDENT CEAUCESCU, MAÎTRE EN HISTOIRE

« L'ouvrage repose sur la conception scientifique révolutionnaire du Président de la Roumanie, Nicolae Ceauçescu, concernant le passé historique, l'expérience millénaire du peuple roumain dans sa lutte pour la liberté, l'indépendance étatique et l'unité nationale. Essentielle pour l'élaboration de l'ouvrage a été la thèse du chef de l'État roumain portant sur le caractère unitaire de l'évolution historique dans l'espace roumain, caractère qui découle de l'harmonie du milieu géographique défini par les Carpates, le Danube et la mer Noire, de la communauté d'origine, de langue, de civilisation et de destin historique du peuple roumain...

L'idée essentielle de l'ouvrage est la valeur exemplaire de la lutte d'un peuple qui, confronté à des forces expansionnistes écrasantes, a réussi à sauvegarder sa liberté, ses institutions propres, sa culture et sa spiritualité. Valeur exemplaire qui vérifie intégralement la vérité exprimée par le président de la Roumanie, Nicolae Ceauçescu, à savoir que rien ni personne ne peut vaincre la volonté d'un peuple de se développer librement, en indépendance et en unité, quand il est décidé, par-delà tout sacrifice, de suivre fermement cette voie. »

Extrait du compte-rendu de l'*Histoire militaire du Peuple roumain*,
in : Œuvres, vol. II, XIV-XVI, 1986.

Ceaucescu entre nationalisme et mégalomanie

Gheorghiu-Dej mourut en pleine querelle sino-soviétique, en mars 1965 et fut remplacé par Nicolae Ceaucescu (1918-1989). Né dans une famille de paysans pauvres, il rejoignit le Parti en 1936. Après la victoire du communisme, il fit une active carrière dans les affaires militaires. Élu au Comité central en 1952, puis au Bureau politique en 1955, il contrôla dès la fin de 1967 le Parti et l'État. Il gouverna avec un petit groupe dans lequel figurait sa femme Helena et, par la suite, ses fils et des membres de sa famille. Lui-même cumulait tous les titres : président de la République, président du Conseil suprême du développement économique et social, président du Conseil de défense, commandant suprême des forces armées, secrétaire général du PMR redevenu en 1965 le Parti communiste de Roumanie (PCR).

Ceaucescu maintint tout d'abord la ligne de son prédécesseur : il établit des relations diplomatiques avec l'Allemagne fédérale et entretint de bons rapports avec la France. Mais il était évident qu'il n'avait pas d'alternative à une alliance obligée avec l'URSS, en dépit des divergences sur le Comecon et le Pacte de Varsovie. La chute de Khrouchtchev en octobre 1964 ne changea pas fondamentalement la situation. Soutenu par l'opinion publique, le gouvernement roumain laissa paraître des articles sur la Bessarabie dont la population était, rappelaient-ils, majoritairement roumaine. À quoi des historiens de la Moldavie soviétique répondirent en affirmant l'existence d'une nationalité moldave spécifique. Lors de son voyage à Moscou en 1965, Ceaucescu avait reconnu formellement la frontière roumano-soviétique, mais la question de la Moldavie-Bessarabie restait une épine d'irritation entre les deux pays. De même continuaient les vieilles querelles à propos de la Transylvanie. Les Roumains firent des efforts pour développer la culture hongroise et amener de nombreux Magyars à des postes de responsabilité ; ce ne fut pas suffisant. En 1968, sous prétexte d'une réorganisation administrative du pays, on supprima la Région autonome, remplacée par trois départements ordinaires. On pratiqua, du côté roumain, une politique de séparation d'avec la Hongrie socialiste voisine : interdiction de circulation des journaux et des livres, limitation des visites familiales. L'invasion de la Tchécoslovaquie en août 1968 provoqua un choc dans les relations soviéto-roumaines : Ceaucescu se rendit en Transylvanie et mobilisa les foules par un appel à un patriotisme passablement agressif; la Roumanie refusait la « doctrine Brejnev », du droit d'intervention de l'URSS dans un État socialiste, lorsque le socialisme y était menacé. Mais en juillet 1970, Ceaucescu en visite à Moscou dut signer un nouveau traité d'amitié et d'aide mutuelle. La situation restait la même : l'URSS dominait de toute sa puissance militaire.

Les années passant, Ceaucescu devint un despote qui régnait entouré d'une véritable cour et la presse célébrait les louanges du « géant des Carpates » à toute occasion. Découvrant dans les années quatre-vingts l'importance de l'endettement extérieur de la Roumanie, il se mit en tête de le rembourser en trois années. Ce fut une période sévère : les importations diminuèrent de façon drastique, tandis que le blé et la viande étaient exportés. On revit les queues chez les commerçants, les restrictions alimentaires, les limitations de consommation d'essence et de circulation des voitures. L'objectif fut atteint, mais le pays était exsangue. Tandis que Gorbatchev, au nom de la perestroïka, demandait à Ceaucescu d'assouplir son système, celui-ci se crispa dans un immobilisme troublé par une révolte ouvrière à Brasov en 1987 et par le plan de restructuration des campagnes qui faisait disparaître les villages au profit d'agrovilles en béton. Des écrivains contestataires essayèrent de traduire le mécontentement populaire, mais furent en butte à la redoutable Securitate omniprésente. Plus grave pour Ceaucescu, un certain nombre d'anciens dirigeants mis plus ou moins à l'écart se mobilisèrent, parmi eux Ion Iliescu, en disgrâce du Parti depuis 1974. En décembre 1989, des manifestations eurent lieu à Timisoara, auxquelles Ceaucescu, rentré d'urgence d'Iran, voulut répondre en mobilisant « son » peuple à Bucarest le 22 décembre. Ce fut l'effondrement, la fuite du dictateur et la mise à mort de Ceaucescu et de sa femme le 25 décembre 1989.

ENVER HOXHA SUR LA « LIBÉRATION » DU KOSOVO PAR LES TROUPES DE TITO EN 1944

« La population albanaise de Yougoslavie n'oubliera jamais les faits horribles de l'automne 1944, lorsque la bande de Tito-Ranković arrêta à Tetovo dix mille Albanais et en fusilla sans autre forme de procès douze cents, sans parler de ceux qui sont morts dans les prisons. Dans leurs odieux efforts pour exterminer les Albanais, les bandits titistes se sont toujours caractérisés par le cynisme, la cruauté et la fureur. Lorsqu'un groupe de patriotes albanais protesta contre ces crimes auprès du commandant titiste, le général Apostolski qui commandait alors la première brigade macédonienne, lui répondit : « Ce n'est rien, c'est une simple épuration. Ceux que nous tuons devaient être nettoyés. » Et Vukmanović-Tempo [1], qui était présent, lança : « Quoi ? Vous gardez encore des gens dans ces camps ? Hâtez-vous d'éliminer ceux que vous avez à liquider. » Et cet ordre du représentant personnel de Tito fut appliqué avec un grand zèle. En novembre 1944, des milliers de paysans albanais innocents furent fusillés sur les routes de Macédoine, brûlés, infectés du typhus et connurent une mort atroce.

« De génération en génération, le peuple albanais de Yougoslavie se souviendra, avec une immense aversion contre la clique sanguinaire titiste, du massacre de Drevica, en hiver 1944, lorsque les divisions yougoslaves, sous prétexte de vouloir y nettoyer les ennemis, encerclèrent cette zone libérée et y massacrèrent quelques vingt mille hommes, femmes, vieillards et enfants albanais. Cette action fut un véritable carnage, un anéantissement systématique et organisé, de la population de nationalité albanaise de cette région.

Article paru dans le *Zërii popullit*, 31 août 1966.

1. Représentant du Parti communiste yougoslave auprès du Parti communiste d'Albanie.

5. Le communisme albanais

Une Albanie stalinienne

Il fut le plus doctrinaire et le plus rigide, quoique, vis-à-vis de Moscou, il ait été d'une fidélité sans faille jusqu'en 1960, puis un adversaire intraitable du « révisionnisme » soviétique.

Dès la prise de Tirana, en novembre 1944, Enver Hoxha et le PCA s'efforcèrent d'éliminer tous les chefs du Balli Kombëtar et des partisans de Zog : condamnés pour « collaboration » ; nombre d'entre eux furent fusillés. Toutefois, les régions catholiques du nord à structures tribales en accueillirent un certain nombre qui constituèrent des « maquis blancs » et furent actifs jusqu'en 1950. On s'efforça de mettre sur pied un appareil d'État, des tribunaux populaires et une organisation de la Sécurité ; le service militaire obligatoire fut introduit avec des commissaires politiques pour entreprendre l'éducation idéologique des jeunes ; un impôt extraordinaire sur les bénéfices de guerre fut introduit qui aboutit en fait à une spoliation totale de très nombreux commerçants et intermédiaires ; on réquisitionna les denrées alimentaires ou on mit la main sur les biens des anciens occupants, émigrés politiques et capitalistes étrangers.

Les premières élections de décembre 1945 se firent sur la base d'une liste unique de candidats établie par l'ancien Front de libération devenu le Front démocratique de l'Albanie. Elles eurent lieu dans des conditions qui soulevèrent les protestations des missions militaires anglo-saxonnes, tandis que le nord du pays boycottait les urnes. Officiellement toutefois, elle donnèrent 90 % de participation et 93 % des votants pour le Front. L'Assemblée se réunit en janvier 1946 et abolissant la monarchie, proclama à l'unanimité la « République populaire d'Albanie » dont le gouvernement était présidé par Enver Hoxha. Elle adopta en outre une constitution calquée sur celle de l'URSS et qui fondait le système de « démocratie populaire » définie comme un État de dictature du prolétariat. À partir de ce moment et en deux années, on procéda à une nationalisation de la totalité de l'industrie et des grands troupeaux sur la base d'un Plan d'État annuel. Dans les campagnes, une réforme agraire de 1946 limitait la propriété à 5 hectares et l'on introduisit dans la plaine littorale les premières coopératives de type kolkhozien malgré de vives résistances.

Maître de tout le pouvoir, le Parti communiste d'Albanie (PCA) était en réalité dominé par les communistes yougoslaves qui avaient présidé à sa naissance. Un groupe se constitua autour de Koçi Xoxe, ministre de l'Intérieur, qui s'opposa à Enver Hoxha, obtint la majorité au Bureau politique et préconisa le rattachement de l'Albanie à la Fédération yougoslave : en juillet 1946 fut signé un traité de coopération et d'assistance mutuelle entre les deux pays. Au début de 1948, on comptait 597 techniciens et 30 officiers-instructeurs yougoslaves en Albanie, à quoi s'ajoutait la pénétration des cadres dirigeants du Parti. En juillet 1947, une délégation albanaise conduite par Enver Hoxha se rendit à Moscou et obtint peu de choses de Staline mais ce voyage inquiéta Belgrade qui, en février 1948, au VIIIe plénum du CC, accusa Enver Hoxha d'avoir constitué une « fraction ». On décida de la fusion du commandement des deux armées et de l'accueil en Albanie de deux divisions yougoslaves. Alors intervint la résolution du Komintern du 28 juin 1948 condamnant Tito et le PCY. Enver Hoxha rompit immédiatement avec son voisin, annula tous les accords passés avec lui et se débarrassa de Koçi Xoxe qui fut jugé et exécuté.

L'Albanie se rangeait délibérément sous la bannière de Staline. Le PCA tint son premier congrès en 1948 et Enver Hoxha fit le procès de la ligne yougoslave. On y adopta des statuts du Parti désormais appelé « Parti du travail d'Albanie » (PTA) pour mieux répondre à la structure d'une population à 80 % paysanne. On se prononça pour l'édification des bases du socialisme : industrialisation et électrification ; dans l'agriculture on décida une prudente collectivisation. La situation n'en restait pas moins difficile, l'Albanie étant entourée de pays hostiles, la Yougoslavie et la Grèce ; dans la « guerre froide » qui se développait, des accrochages eurent lieu avec les Grecs, tandis que les bandes d'insoumis s'agitaient dans le Nord. Le IIe Congrès du Parti d'avril 1952 décida d'élaborer le Ier plan quinquennal à l'exemple des plus staliniens : priorité à l'industrie lourde, renforcement des kolkhozes, lutte contre l'analphabétisme, le tout accompagné d'un véritable culte à Staline. La mort du Généralissime fut particulièrement ressentie dans le PTA et toutes les villes albanaises eurent leur statue de Staline sur leur place principale. La politique de « déstalinisation » de Khrouchtchev provoqua des remous dans le Parti et le voyage qu'il fit à Belgrade en mai 1955 pour se réconcilier avec Tito fit à Tirana l'effet d'une bombe. Sur le plan politique, Tirana s'éloignait de Moscou. Pendant les crises polonaises (juin et octobre 1956) et hongroise (octobre-novembre) Enver Hoxha affirma la « vérité absolue » du marxisme-léninisme et fit l'éloge de Mao. Lors de la IIe conférence de Moscou en novembre 1960, une confrontation violente eut lieu entre Khrouchtchev et Hoxha et la délégation albanaise quitta la conférence sans attendre sa conclusion.

Le modèle chinois

La rupture avec Moscou se traduisit par un arrêt de la collaboration économique : Khrouchtchev retira sans préavis ses techniciens et fit faire demi-tour aux navires soviétiques. Tirana se tourna vers Pékin qui lui ouvrit des crédits. L'Albanie n'en connut pas moins une crise grave pendant les années 1961-1962, puisque 50 % de son commerce extérieur provenait de l'URSS. Dans la polémique entre Moscou et Pékin, Tirana se rangea résolument du côté chinois et Zou En Lai fit plusieurs visites dans le pays. En janvier 1965, les Albanais furent exclus du Pacte de Varsovie et le Comecon les soumit à un blocus complet. Le PTA imita un certain nombre d'initiatives chinoises, telle la mini-révolution culturelle de 1966 par laquelle Enver Hoxha critiqua le « bureaucratisme » et envoya quinze mille cadres à la production industrielle ou agricole. L'on renforça la « qualité » des membres du parti en instituant un stage probatoire de deux ou trois ans ; l'on referma l'éventail des salaires (de 1 à 2,5 maximum) ; l'on acheva la collectivisation de l'agriculture dans les montagnes et l'on mit un point final à l'électrification des campagnes achevée en octobre 1970. En même temps un vaste mouvement de masse contre l'idéologie religieuse aboutit à la fermeture de tous les lieux de culte, à l'arrestation de nombreux membres des clergés et à la proclamation de l'Albanie comme « premier pays athée du monde ».

Mais en 1971, la viste à Pékin du président Nixon provoqua des critiques de Tirana qui s'élargirent à la théorie chinoise des « trois mondes ». En novembre 1975, le VIIe Congrès fut l'occasion pour Enver Hoxha d'une longue analyse — il parla quinze heures — de la situation : il annonça que le premier acier albanais avait été coulé au combinat d'Elbasan et que pour la première fois l'agriculture albanaise avait fourni tout le pain nécessaire au pays ; en même temps, il dénonçait un groupe du Comité central incluant le ministre de la Défense. Il fut triomphalement réélu au

Bureau politique et comme premier secrétaire du CC. Quelques jours plus tard, une nouvelle constitution était promulguée. Sur ces bases, Tirana n'hésita pas devant une révolution nouvelle : la rupture avec Pékin où Mao Zedong était mort en 1976. La presse de Tirana critiqua vivement la visite en Chine du maréchal Tito et en juillet 1978, la Chine décida de cesser toute aide à l'Albanie.

L'Albanie albanaise

Celle-ci se retrouvait seule, brouillée avec les deux géants du communisme, l'URSS et la Chine. Fidèle jusqu'au bout à son idéologie marxiste-stalinienne, Enver Hoxha mourut de maladie en 1985 et un membre du Politburo, Ramiz Alia lui succéda sans difficulté apparente. Alors que la Perestroïka secouait l'Union soviétique, le système demeurait, dans ses grandes lignes, sans changement : le IXe Congrès du PTA, en novembre 1986, lança un VIIIe Plan quinquennal et se préoccupa de la situation agricole qui s'avérait mauvaise. Après l'effondrement roumain, le système albanais restait le seul en place. Ramiz Alia entreprit d'entrouvrir progressivement le pays, pour répondre à des manifestations d'une opposition de plus en plus entreprenante à Tirana, Skodra, Durrës. En décembre 1990, la création d'un Parti démocratique albanais ouvrait la voie au pluripartisme politique : la domination du communisme albanais était fortement ébranlée.

6. Le communisme yougoslave : le Schisme

Considéré à la fin de la guerre comme le plus puissant et le plus stalinien, le communisme yougoslave rompit avec Moscou dès juin 1948. Il essaya de trouver une formule différente du marxisme-léninisme et mit sur pied un système d'autogestion qui dura quarante ans. Cela aboutit à une déliquescence du communisme et à une résurgence des nationalismes.

Tito-Staline

Maîtres de Belgrade en octobre 1944, les partisans de Tito, comme leurs camarades albanais, firent un rapide et complet nettoyage de toutes les forces qui pouvaient s'opposer à eux : Šubašić, devenu ministre des Affaires étrangères dans le premier gouvernement de Tito fut arrêté peu après, les partis politiques « bourgeois » furent interdits et l'ensemble de la population mise sous la surveillance du redoutable service de Sécurité de l'État — *Udba*. Les premières élections de novembre 1945, sur liste unique et sous surveillance policière, donnèrent 90 % des voix aux communistes : l'Assemblée constituante abolit la monarchie et proclama la République fédérale populaire de Yougoslavie. À la différence des autres États de l'Europe de l'Est, elle se donna la forme d'une fédération de six républiques : Serbie, Croatie, Slovénie, Monténégro, Macédoine, Bosnie-Herzégovine et deux régions autonomes, le Kosovo et la Vojvodine. Tenant compte des crises de l'entre-deux-guerres, Tito ajouta aux trois peuples fondateurs le Monténégro et la Macédoine détachés de la Serbie, de même que les Albanais du Kosovo et les Hongrois et autres de la Vojvodine. Chacune des républiques correspondait à une « nation » dominante, sauf la Bosnie-Herzégovine qui réunissait des Serbes, des Croates et des « musulmans » qui ne se définissaient pas autrement. Le projet était d'élever le niveau des moins développés, Macédoniens, Bosniaques, Monténégrins, pour leur permettre de se rapprocher des plus développés, Slovènes, Croates et Serbes. L'instrument de cette transformation devait être l'industrie et tout d'abord l'industrie lourde. Jusqu'en 1949, on s'appliqua à réaliser ce programme en créant sous l'autorité de Boris Kidrić des usines dans les régions jusque là rurales, en essayant d'organiser des coopératives agricoles dites *zadruga*, du vieux nom des organisations familiales serbo-croates. Mais la résistance des paysans fut telle qu'en l'absence du matériel nécessaire, en 1950, on renonça à la collectivisation : les paysans purent quitter les coopératives à partir de mars 1953. Seules restèrent des fermes d'État : 9 % du sol. Les paysans yougoslaves demeurèrent de petits producteurs individuels.

L'armée des Partisans ayant occupé Trieste, la Yougoslavie s'opposa aux Italiens soutenus par les Occidentaux jusqu'à ce qu'en juillet 1946, un compromis fut proposé par la France d'un territoire comprenant au nord la ville de Trieste administrée par les Anglo-saxons, tandis que la partie sud relevait de l'administration yougoslave. La Macédoine fut une pomme de discorde avec la Bulgarie qui avait occupé la région pendant la guerre. Le programme de l'AVNOJ prévoyait que la Macédoine deviendrait une république et comprendrait la région du Pirin bulgare et des territoires de la Grèce. Cette dernière était en proie à une guerre civile, mais les Bulgares furent réticents. En septembre 1944, des négociations entre les deux gouvernements eurent lieu qui traînèrent jusqu'à la rencontre à Bled de Tito et de Dimitrov en août 1947. On se mit d'accord sur un programme de rapprochement culturel pour préparer l'entrée de la Macédoine élargie dans une fédération. Tout s'arrêta avec la rupture Moscou-Belgrade.

Le titisme

La politique de Tito apparaissait trop indépendante à Staline qui considérait que les Yougoslaves faisaient preuve d'« arrogance ». Une polémique épistolaire se développa pendant le printemps et aboutit à la résolution du Komintern du 28 juin 1948, l'anniversaire de la bataille de Kosovo ! Par celle-ci, les Yougoslaves étaient expulsés de l'organisme communiste et appel leur était adressé de se débarrasser de leurs dirigeants Tito, Ranković, Kardelj, Djilas nommément désignés. Tito réagit. Au premier Congrès du Parti, en juillet, il défendit sa position, attaqua le Komintern, mais ne dit rien de Staline. La campagne anti-yougoslave continua jusqu'à un article de Gheorghiu-Dej de novembre 1948 qui dénonçait le « Parti communiste de Yougoslavie au pouvoir des assassins et des espions ». Tous les États du Komintern rompirent alors leurs accords avec Belgrade et établirent un blocus de la Yougoslavie, alors qu'ils venaient de créer le Comecon en janvier 1949. Dans les perspectives de la guerre froide, la rupture entre Belgrade et Moscou était un avantage considérable pour l'Ouest : les trente deux divisions de l'armée yougoslave étaient neutralisées. Washington le comprit et accorda au paria du monde communiste des crédits importants, dépassant un milliard de dollars. Un rapprochement se produisit avec la Grèce et la Turquie et en 1953 un traité d'amitié et de coopération fut signé entre les trois pays. L'année suivante, le problème de Trieste était résolu par une attribution de chacune des zones à l'Italie et à la Yougoslavie.

Tito s'affirmait toujours adepte du marxisme, mais posait le problème d'une voie spécifique vers le communisme. Kardelj s'efforça d'y répondre en transférant « au peuple travailleur » le pouvoir centralisé dans la bureaucratie de type soviétique. Une loi de juin 1950 sur « la gestion des entreprises par les collectifs ouvriers » jeta les bases d'une autogestion qui confiait aux travailleurs la propriété des moyens de production, s'exprimant par un « conseil ouvrier » élu. En fait, le Parti gardait la haute main sur la marche des entreprises et nommait le directeur. Entre la volonté du conseil et l'économie planifiée, l'accord fut difficile et jamais véritablement trouvé. En 1952, le Parti communiste désireux de marquer ses distances avec les autres organisations du Komintern, prit le nom de « Ligue des communistes de Yougoslavie ». L'un des résultats de ces changements fut la plus grande liberté laissée aux citoyens tant dans la vie culturelle — littérature et arts — que dans le domaine religieux : les relations entre les autorités et les clergés devinrent meilleures. La limite de cette libéralisation fut cependant la condamnation de Djilas qui, en 1954, dans le journal *Borba*, critiqua âprement le phénomène bureaucratique.

Tito pédagogue du Tiers-Monde

Après la mort de Staline, Khrouchtchev essaya de récupérer la Yougoslavie. En mai 1955, il fit le voyage à Belgrade et déclara reconnaître la voie yougoslave vers le socialisme. Tito accepta un siège d'observateur au Comecon, mais refusa d'entrer dans le pacte de Varsovie tout comme dans l'OTAN. Avec Nehru et Nasser, il lança le « mouvement des non-alignés » qui regroupa la majeure partie des nations de l'Asie et de l'Afrique. La conférence de Belgrade en septembre 1961 marqua le début d'une politique qui fit de la Yougoslavie l'un des grands partenaires de la scène internationale. La Chine s'y opposa en dénonçant « l'ultra-révisionnisme » de Tito et constitua avec l'Albanie — et jusqu'à un certain point la Roumanie — un pôle de résistance à Belgrade, mais elle était loin.

La « décongélation » nationaliste

La relative décentralisation de l'administration et de l'économie eut des conséquences inattendues. Et d'abord un réveil des nationalismes. Belgrade, capitale fédérale, était en même temps la capitale historique de la Serbie ; les Serbes dominaient l'armée et l'administration yougoslaves ; autant de raisons de jalousie des autres républiques. En 1966, Ranković, numéro deux du régime et représentant des Serbes, fut accusé d'avoir espionné Tito lui-même et fut privé de ses fonctions. Les Croates et les autres nationalités considérèrent cette mise à l'écart comme un succès. La seconde conséquence fut la montée du chômage et l'obligation pour de nombreux Yougoslaves d'aller travailler en Allemagne : en Croatie, en 1971, 5 % de la population était dans ce cas. Les membres du parti à Zagreb, sous la direction de Miko Tripalo, commencèrent à demander plus de respect de la personnalité croate ; les intellectuels réclamèrent une langue croate différente du serbo-croate, les étudiants s'agitèrent en 1968 : ce fut le « Printemps croate ». En décembre 1971, Tito donna le coup d'arrêt : il dénonça le nationalisme, écarta Tripalo et de nombreux membres de la Ligue. Il était clair que le pouvoir central se réservait le droit d'intervenir dans les républiques.

En 1970, l'université de Priština devint autonome et l'enseignement en albanais se développa. Les Albanais avaient un fort taux de naissances : ils formaient alors 74 % de la population du Kosovo. Ils commencèrent à réclamer la formation d'une république spécifique en Yougoslavie. En Macédoine se développaient une langue et une littérature « macédoniennes » : l'Église de Skopje fut, en 1968, déclarée autocéphale, ce qui fut rejeté par l'Église de Belgrade. Mais là aussi, on dénonçait plus ou moins ouvertement le « grand serbisme ». Quant aux Slovènes, ils se plaignaient de nourrir le Sud yougoslave par leur travail. Tito continuait d'incarner le « centralisme démocratique », en fait l'unité de la Yougoslavie. Une nouvelle constitution de février 1974 s'efforça de prévoir sa succession en précisant le fonctionnement de l'État : il fut nommé président à vie et après lui, le président d'une république deviendrait, à tour de rôle, président de la Fédération. La vie économique fut alors désorganisée par le premier choc pétrolier qui provoqua une montée de l'inflation et un endettement considérable du pays. En pleine crise, Tito mourut en mai 1980 à l'âge de quatre-vingt sept ans.

L'éclatement de la Fédération yougoslave

Une page de l'histoire des peuples yougoslaves se tournait. Tito n'eut pas de successeur ; comme prévu par la constitution, le système de rotation se mit en place et un Serbe de Bosnie prit la présidence pour un an. La vie politique fut dominée par des conflits entre centralistes et décentralisateurs et l'on continua à pourchasser les déviations « nationalistes ». À Zagreb, en novembre 1980, l'historien Franjo Tudjman fut condamné pour une interview dans laquelle il dénonçait la sur-représentation serbe dans l'armée et le parti. À Sarajevo, en 1983, l'avocat Alija Izetbegović fut accusé de « déclaration islamique » et condamné. Mais les événements les plus graves se passaient au Kosovo. La Constitution de 1974 lui réservait en fait l'autonomie que certains éléments utilisèrent pour s'attaquer aux intérêts serbes dans la région. Des troubles éclatèrent à l'université de Priština au printemps 1981 et s'élargirent aux mineurs et ouvriers. L'armée fut envoyée pour rétablir l'ordre et l'on parla d'un millier de morts : la haine entre les deux populations albanaise et serbe était désormais installée.

En même temps, l'économie yougoslave fut frappée par le second choc pétrolier de 1979. Le revenu réel par habitant commença à baisser, la croissance annuelle fut négative en 1982-1983, la dette extérieure devint écrasante, l'inflation monta à deux et même trois chiffres. Les pénuries apparurent: essence, coupures de courant, tandis que les disparités régionales s'accentuaient. En 1986, le pays s'orienta vers le nationalisme avec la prise en main de la Ligue de Serbie par Slobodan Milošević. S'appuyant sur un « Memorandum » de l'Académie serbe des Sciences qui critiquait le découpage des républiques de Tito et dénonçait les persécutions contre les Serbes au Kosovo, Milošević organisa de grands rassemblements serbes à Belgrade, à Kosovo Polje (avril 1987) et ailleurs. Au début de 1989, il envoya une nouvelle fois l'armée dans la Province du Kosovo et la fit réintégrer dans la République de Serbie. En juin 1989 — sixième centenaire de la bataille — un million de Serbes acclamèrent leur leader sur le champ même des combats de 1389. Pendant ce temps, les Slovènes revendiquaient depuis 1987 un pluralisme politique qui s'organisa dans les deux années suivantes ; le président de la Ligue, Milan Kučan, donna son appui aux réformes et en décembre 1989, l'assemblée slovène vota une loi légalisant les partis politiques. Une évolution semblable eut lieu en Croatie où l'Union démocratique croate de Franjo Tudjman s'organisa pour gagner les élections l'année suivante. En janvier 1990, un congrès de la Ligue — le dernier — donna lieu à des débats confus et violents : les Slovènes s'en retirèrent suivis par les Croates, en déclarant qu'ils n'avaient plus rien en commun avec la Ligue des communistes de Yougoslavie. Milošević essaya de continuer le congrès sans eux. On était le 23 janvier 1990 : le communisme yougoslave était frappé à mort.

7. Le refus du communisme des Grecs

La Grèce, laboratoire de la guerre froide

S'il est un gouvernement qui est resté hostile à Moscou, c'est bien celui de la Grèce après la tragique guerre civile des années 1946-1949. La présence du général anglais Scobie, ajoutée à celle de l'ambassadeur britannique signifia que jusqu'au printemps 1946, la politique anglaise fut prépondérante en Grèce : les huit gouvernements qui se succédèrent à Athènes furent tous conseillés et aidés par Londres. La Grande-Bretagne d'ailleurs encourageait plutôt les éléments modérés comme George Papandreou ou Plastiras. Le Parti communiste grec — KKE — collaborait avec ses homologues des pays voisins mais se heurtait au problème de la Macédoine et était divisé par des rivalités de personnes, son chef, Nikos Zachariadis, rentrant de l'internement en Allemagne. L'accord de février 1945 avec le gouvernement avait prévu que l'ELAS devait rendre ses armes, mais des bandes se constituèrent, communistes, royalistes et autres. L'armée grecque était dominée par des officiers royalistes, la gendarmerie restait très anti-communiste.

Dans ces conditions, des élections eurent lieu en mars 1946. Le KKE et les partis du centre gauche, considérant que les circonstances n'étaient pas favorables, se prononcèrent pour l'abstention ; les résultats donnèrent donc la majorité absolue au Parti populiste de Tsaldaris qui était royaliste. Le roi George II revint en Grèce en septembre après un plébiscite où il obtint 68 % des voix. La gauche dénonça des fraudes, tandis que se multipliaient des accrochages entre bandes communistes et forces de l'ordre en Macédoine en particulier. Le KKE forma une Armée démocratique qui étendit son influence sur les campagnes tandis que le gouvernement restait maître des villes : Athènes, le Pirée, Thessalonique. Estimé à deux mille hommes en été 1946, le nombre des combattants communistes passa à treize mille à la fin de l'année. En dépit de la disproportion des forces — l'armée avait 90 000 hommes et la gendarmerie 30 000 — les insurgés dominèrent le pays au printemps 1947, s'appuyant sur les villages et les sympathisants des villes. De plus, ils bénéficiaient d'une aide importante en armes de la Yougoslavie, de l'Albanie et de la Bulgarie, l'URSS ayant fait connaître son désir d'acquérir une base navale dans l'Egée. Pris dans une telle situation, le gouvernement anglais fit connaître son impossibilité à continuer son assistance et se tourna vers les États-Unis. En mars 1947, le président Truman demanda au Congrès 400 millions de dollars pour la Grèce et la Turquie et déclara que désormais les États-Unis aideraient les pays exposés à la menace du communisme. Ce fut la « doctrine Truman ».

La guerre civile

Elle s'appliqua en Grèce à partir de l'été 1947 : missions américaines de conseillers et de techniciens remplacèrent les Britanniques. Le niveau de l'armée fut porté à plus de 230 000 hommes, avec des officiers américains comme instructeurs qui amenèrent avec eux un matériel militaire important. Le KKE ne put faire face, d'autant que l'URSS n'envoyait rien ; Staline avait nettement déclaré qu'il était hostile à la poursuite des combats. Bientôt, il devint évident que les insurgés ne pouvaient plus compter sur les paysans ; pour les forcer à coopérer, on pratiqua l'enlèvement des enfants dans les territoires à évacuer : quelque trente mille furent ainsi envoyés dans les pays communistes voisins. De plus, des divergences apparurent entre Zachariadis qui, en bon marxiste voyait dans les villes le réservoir de l'insurrection et Vafiades Markos qui, à l'imitation de l'AVNOJ des Yougoslaves, avait constitué un gouvernement dont il était le chef en même temps que le ministre de la guerre et qui s'appuyait sur les villages de Macédoine. À la fin de l'année 1948, l'Armée démocratique comptait 25 000 hommes et sa dépendance de l'aide de Belgrade était telle que la rupture de Moscou avec celle-ci fut un désastre. À la fin de l'année, Markos déclara que la guerre était perdue pour les insurgés et en février 1949 se retira en Yougoslavie. À ce moment, un nouveau motif de discorde se fit jour parmi les insurgés : l'avenir de la Macédoine ; Zachariadis adopta la position de l'URSS qui se prononçait pour un rattachement à la Bulgarie, mais nombre de communistes grecs repoussèrent cette proposition qui aboutissait à céder un morceau de terre à l'Hellade. Finalement, en janvier 1949, le général Papagos prit le commandement de l'armée et commença une reconquête systématique du pays. En juillet 1949, Tito ferma la frontière gréco-yougoslave et interrompit toutes les livraisons. En septembre, les combats cessèrent et en octobre, les chefs du KKE admirent leur défaite dont ils rendirent responsable Tito.

La guerre civile fut une catastrophe pour la Grèce : on estime à 70 000 le nombre des victimes du côté du gouvernement et à 38 000 celui des victimes du côté des rebelles. Les destructions avaient été pires que pendant la Seconde Guerre mondiale et il y eut 700 000 personnes déplacées. Surtout, il en resta une haine farouche contre les communistes dans de larges couches de la population.

Depuis, le Parti communiste grec fut interdit pendant quinze ans, ne subsistant que dans des formations électorales de camouflage. Le pays se tournait résolument vers l'Occident, en particulier les États-Unis, qui lui permirent de rétablir sa monnaie. L'ambassade des USA devint l'arbitre des crises ministérielles : l'exemple le plus frappant fut le régime du général Papagos qui fut Premier ministre en 1952-1953. La dictature militaire dite « des colonels » de 1967 à 1974 s'inspira de l'idéologie de Metaxas et se proclama bruyamment anticommuniste. La restauration de la démocratie par Karamanlis en 1974 rétablit un Parti communiste désormais divisé en « parti de l'extérieur » fidèle à Moscou et « parti de l'intérieur » plus centré sur les problèmes du prolétariat grec, mais plus faible. Leur action, appuyée par 10 % de l'électorat, n'empêcha pas la Grèce, en octobre 1980, de rejoindre le commandement intégré de l'OTAN et en janvier 1981, d'être admise comme dixième membre de l'Association économique européenne. En dépit de déclarations électorales du Parti socialiste — PASOK — d'Andrea Papandreou, les Grecs restèrent et restent des fidèles de l'Occident.

Chapitre 7

— Les retards du développement économique —

La Grèce, membre de la CEE depuis 1981, fait figure de pays « retardé » dans la Communauté. Quant aux autres pays balkaniques issus des régimes communistes, ils essaient avec difficulté d'aborder l'économie de marché, manifestant eux aussi un retard par rapport à l'Occident. S'agit-il simplement d'une affaire de conjoncture ou plus profondément d'une inadaptation de leurs structures au monde industriel du XXe siècle finissant ?

1. Le poids des paysanneries

Une économie et une culture agricoles

Lorsqu'ils se sont constitués au XIXe siècle, tous les États des Balkans étaient presqu'uniquement formés de paysanneries s'adonnant à l'autosuffisance. Les agriculteurs du Péloponnèse, du plateau bulgare, du bassin de la Morava serbe, des plaines de Valachie et de Moldavie travaillaient d'abord pour se nourrir eux et leurs familles, puis pour payer l'impôt dû au pouvoir, encore ce paiement fut-il longtemps « en nature » comme sous Miloš Obrenović en Serbie ou Othon Ier en Grèce. Les paysans n'achetaient au marché que le strict minimum: du fer pour les outils agricoles, un peu d'étoffe légère, du sel. Et ces habitudes perdurèrent jusqu'à la Première Guerre mondiale, voire jusqu'à la seconde.

Ne nous y trompons pas : il ne s'agissait pas seulement d'une économie de type agricole, mais bien d'une culture paysanne au sens fort du terme. Coutumes, traditions, échelles de valeurs faisaient référence à cet univers des bois et des champs que des générations successives avaient façonné à la force de leurs bras et qui demeurait normalement le cadre de leur vie de la naissance à la mort. De là une mentalité spécifique que le Bulgare Stambolijski s'efforça d'organiser politiquement de 1919 à 1923 en un « agrarisme » aux dimensions européennes d'une *Internationale verte*, tandis qu'en Roumanie, le mouvement des Gardes de fer incorporait à sa doctrine un « paysanisme » chrétien à base de refus du monde moderne.

Ces masses rurales représentaient en 1918, 78 % de la population de la Yougoslavie, autant que celle de la Roumanie, 80 % de celle de la Bulgarie, 85 % de celle de l'Albanie, 60 % seulement de celle de la Grèce dont le commerce maritime était très actif. Chiffres qui permettent de mesurer le poids des paysanneries.

L'attente de la réforme agraire

Ce poids se fit sentir par l'exigence de réformes agraires. Mais la situation était différente entre les pays ex-ottomans et les autres : Roumanie, Croatie-Slovénie. Dans les États qui s'étaient constitués sur le territoire même de l'Empire du Sultan, les guerres de libération du XIXe siècle avaient toujours eu un caractère de « guerres de classes » : paysans grecs, serbes, bulgares, albanais contre de grands propriétaires turcs ou turquifiés, maîtres du sol et bénéficiaires de corvées. La lutte avait été vive, souvent sanglante et les « Turcs » avaient été tués ou expulsés, ainsi les propriétaires des chiftliks de Thessalie et du Péloponnèse, les janissaires du Pachalik de Belgrade, les aghaliks de Bulgarie. Les terres récupérées furent partagées entre les paysans et donnèrent naissance à des « démocraties paysannes » de petits propriétaires. Mais l'évolution capitaliste du XIXe siècle amena regroupements et concentration des exploitations, ce qui lié au développement démographique provoqua une « faim de terres » partout sensible au début du XXe siècle. Bien plus encore dans les pays simplement tributaires de l'Empire ottoman, comme les États roumains ou ceux dépendant des Habsbourg, comme la Croatie et la Slovénie : les boyards roumains ou nobles allemands avaient accaparé de vastes portions du sol et tenaient les paysans, en principe libres depuis le XVIIIe siècle ou 1848, dans une condition proche du servage. Les paysans roumains manifestèrent avec violence leur volonté de partage par la grande révolte de 1907 qui, partie de Moldavie, gagna l'Olténie et la plaine du Danube faisant peut-être dix mille morts.

Le roi Ferdinand de Roumanie se le tint pour dit et par une proclamation d'avril 1917 promit des terres à ses sujets. La réforme agraire fut laborieusement élaborée et finalement votée en juillet 1921 : six millions d'hectares furent expropriés dont quatre millions distribués à 1 400 000 paysans, les deux millions restant allant aux communes ou aux services. La propriété du sol fut limitée en principe à cent hectares, et le surplus forma des lots de cinq à sept hectares cédés contre remboursement. Les résultats furent très discutés : en Transylvanie, les Hongrois qui dominaient la grande propriété se plaignirent d'en avoir été les seules victimes ; partout l'on dénonça le favoritisme et en 1930 encore, 6 700 grands propriétaires détenaient 24 % du sol, face à 2,5 millions de paysans pauvres qui n'en avaient que 28 %. La moyenne propriété avait assurément augmenté, mais la poussée démographique (+1,2 % par an) entraîna un morcellement excessif et un surpeuplement rural — 80 habitants par km^2 de terre arable — deux fois et demi supérieur à celui de la France à la même époque. La paysannerie roumaine resta caractérisée par la pauvreté due aux faibles rendements ; pour le blé 8 à 9 quintaux à l'hectare contre 16 en France, 10 à 11 pour le maïs contre 15 à 16. Les céréales dominaient, mais le froment était destiné à l'exportation et le maïs demeurait la base de l'alimentation avec la *mamaliga* (polenta) familiale. Aussi la grande crise de 1929-1933 amena-t-elle l'effondrement des prix agricoles — près de 62 % de perte par rapport à 1921-1930 — développant une terrible misère dans les campagnes.

En Bulgarie, le leader paysan A. Stambolijski décréta en 1922 une réforme agraire qui limita à trente hectares la propriété du sol et remit aux paysans une partie des terres de l'État et des communes. Déjà dominante, la petite propriété fut encore renforcée : en 1926, 80 % des agriculteurs bulgares étaient propriétaires et 3 % seulement étaient des travailleurs sans terre. Là aussi, l'application de la réforme par des gouvernements de droite donna matière à réclamation et l'essor démographique (+ 1,3 % par an) posa le problème du surpeuplement rural : 95 habitants au km^2 cultivable. Ce fut jusqu'à la Seconde Guerre mondiale une économie de subsistance : le paysan produisait à la ferme aussi bien le savon que les succédanés du café et s'éclairait à la lampe à pétrole.

Dans le nouveau Royaume des Serbes-Croates-Slovènes, dès février 1919 eut lieu une réforme agraire. En Serbie, il s'agissait surtout de réparer les dommages de la guerre ; en Macédoine et en Bosnie-Herzégovine, de faire disparaître les propriétaires musulmans, réputés « Turcs » ; en Croatie, en Vojvodine et en Slovénie, il fallait tout à la fois briser la puissance des latifundiaires allemands d'Autriche ou hongrois pour les trois-quarts, et de donner des terres aux anciens combattants. Si beaucoup de fidèles des Habsbourg avaient abandonné leurs domaines et leurs châteaux, les beys de Bosnie surent utiliser les jeux de la politique et vendre leur soutien au gouvernement contre la garantie de conserver leurs propriétés. À la veille de la Seconde Guerre mondiale, tous les problèmes n'avaient pas encore été réglés, mais on estimait à près de deux millions d'hectares, le quart environ de la surface arable, et à cinq cent mille familles paysannes — une sur quatre — celles qui en avaient bénéficié. Cette réforme nullement négligeable fut en partie annulée par l'évolution démographique : l'augmentation annuelle de 1,4 % porta à cent le nombre des individus dépendant d'un kilomètre carré de terre arable, soit une surpopulation rurale de 62 %.

L'Albanie ne connut rien de semblable : 9 % seulement du sol était cultivé, opposant les grands domaines hérités de la période ottomane dans les plaines et les petites exploitations des communautés paysannes (les *fis*) dans les montagnes — où le travail de la terre restait réservé aux femmes.

En Grèce, moins « paysanne » que ses voisins, le problème de la répartition de la terre s'y posait aussi. L'installation du million et demi de réfugiés d'Asie Mineure en 1923 rendit inévitable une réforme et les deux opérations se combinèrent en un transfert de propriété d'une ampleur sans précédent depuis l'Indépendance de 1821. Bénéficiant d'un prêt de la SDN, un « Comité pour l'établissement des réfugiés » mit à leur disposition 1 100 000 hectares qui furent distribués à 143 000 familles d'agriculteurs. Ces terres provenaient pour 10 % des propriétés de l'État et de l'Église, de quelque deux mille cinq cents domaines de Macédoine, Épire et Thessalie et surtout des exploitations des six cent mille Turcs échangés. Au total, elles représentaient 38 % de la surface cultivée du pays. Mais, comme en Yougoslavie et en Roumanie, cet effort fut contrecarré par un développement démographique qui était le plus élevé de la région : 1,93 % par an. Les Grecs connaissaient donc un surpeuplement rural avec 87 individus par km^2 de terre arable et ses conséquences habituelles : morcellement excessif, faible équipement, bas rendements. Là, comme partout, l'effondrement des prix agricoles durant la Grande crise fut une tragédie pour le paysan grec.

À leur établissement au lendemain de la Seconde Guerre mondiale, les régimes communistes avaient donc un lourd héritage : celui de paysanneries très largement majoritaires imposant leur « culture » à l'ensemble des pays.

2. La première industrialisation

La pénétration du capitalisme européen

Face aux masses rurales, les États balkaniques disposèrent dès leur indépendance de populations urbaines. Mais elles étaient peu nombreuses : moins de 10 %, orientées vers le commerce ou l'artisanat et largement « ottomanisées », car les villes étaient le lieu d'habitation des agents du pouvoir du Sultan : fonctionnaires, soldats, chefs religieux avec leurs mosquées et leurs monuments qui faisaient décrire par les voyageurs européens ces agglomérations comme « turques ». Les guerres de l'Indépendance furent le début de la « nationalisation » des villes par le départ des Turcs et l'implantation des organes du nouveau pouvoir.

C'est à partir du traité de Paris de 1856 mettant fin à la guerre de Crimée que l'on peut parler d'une pénétration du capitalisme dans les Balkans. En neutralisant la mer Noire au bénéfice de tous les navires marchands et en internationalisant le Danube, le traité offrait aux puissances industrielles — Grande-Bretagne, France, Autriche, Prusse — l'espace balkanique comme marché potentiel. Or, dans les jeunes États, des bourgeoisies se développaient par la conquête des nouveaux appareils administratifs et militaires et ajoutaient au prestige de leur savoir *(Bildungsbürgertum)* les privilèges et les bénéfices du pouvoir. Leurs modèles étaient Paris, Vienne, Londres, où elles achetaient des livres, des costumes, des mobiliers, des objets ménagers. Pour ces consommateurs nouveaux, il fallait de nouveaux commerces : les villes des Balkans se rattachèrent ainsi aux circuits du capitalisme européen. Les campagnes surpeuplées commencèrent à laisser partir vers elles les fils de familles les plus audacieux ou les plus pauvres, mettant à la disposition des entrepreneurs une main d'œuvre abondante et bon marché.

Au début des années soixante, les ports grecs : Le Pirée, Patras, Nauplie, Syros, s'équipèrent de petites usines de production de vin, de fabrication de papier, d'égrenage du coton. En 1872, à Ermopoulis, dans l'île de Syros, les machines à la main furent remplacées par des machines à vapeur et l'on y ouvrit une usine à gaz en même temps qu'au Pirée. Dans les années qui suivirent, les créations d'usines se multiplièrent et une Banque de crédit vit le jour, signe du démarrage d'une industrie grecque. Le secteur minier attira les étrangers : en 1874, les mines du Laurion furent prises en mains par une compagnie franco-italienne dominée par les Fraissinet de Marseille, tandis que les Anglais s'intéressaient aux lignite de Kymi, mais surtout à la navigation : chantiers navals, armement.

En Serbie, l'exode rural commença dans les années soixante-dix : en 1874 seulement, la population urbaine franchit le seuil de 10 %. Le développement industriel y fut retardé par la proximité de l'Autriche-Hongrie dont les produits de consommation inondaient le marché serbe. En 1873, le gouvernement définit une monnaie nationale — le dinar — à la place des pièces turques et autrichiennes et promulgua une première loi d'aide aux entreprises industrielles. Le résultat fut faible : l'industrialisation ne fut sensible qu'à partir de 1890, avec les deux centres de Belgrade et de Kragujevac. En 1887 fut fondée en Belgique une « Société industrielle serbe » qui commença l'exploitation du bassin de charbon du Timok, du plomb de Crveni Breg, du cuivre de Majdanpek, du charbon d'Alexïna : les Français, de leur côté, investissaient dans l'antimoine de Zajaca et le cuivre de Rebelj.

En Bulgarie, les Ottomans s'intéressèrent dès les années quarante au drap pour l'uniforme de leurs militaires, mais après l'indépendance, le développement industriel fut lent pour la même raison qu'en Serbie : l'écrasante concurrence de l'Autriche-Hongrie. C'est sous le ministère de Stambolov (1887-1894) qu'une politique protectionniste permit de développer de nombreuses petites usines de textile, vin, tabac, sucre. En 1911, huit cents entreprises industrielles produisaient 14 % du revenu national.

La Roumanie connut une évolution semblable et ne s'industrialisa qu'à partir de la loi de 1887. Elle se caractérisa par la part du capital étranger dans ses entreprises — 82 % en 1911 — et par l'importance de sa branche pétrolière. Commencée en 1857, la production de pétrole avait augmenté de 50 000 tonnes en 1890 à 1 885 000 tonnes en 1913, plaçant le pays au quatrième rang mondial. La majeure partie de la production était traitée sur place par des sociétés à participation allemande (27 %), puis hollandaise, anglaise, française et belge. À la veille du premier conflit mondial, la Roumanie était le pays industriellement le plus développé des États balkaniques.

Première ébauche d'une industrie nationale

Pendant la période de l'entre-deux-guerres, ces États continuèrent à progresser mais inégalement et finalement assez peu.

La Yougoslavie n'avait vu sa population rurale baisser que de trois points — 75 % en 1938 — et le nombre des ouvriers de l'industrie n'atteignait pas quatre cent mille. Les gouvernements successifs s'intéressèrent cependant à l'industrie et favorisèrent les investissements internationaux : en 1937, on estimait que le tiers du capital industriel était entre des mains étrangères, tels les Français propriétaires des mines de cuivre de Bor.

La Bulgarie, exception faite de l'Albanie, demeura le pays le plus faiblement industrialisé : cette branche d'activité ne représentait que 7 à 8 % du revenu national. La seule grande exploitation était la mine de charbon de Pernik, près de Sofia. Par contre, les industries légères : textile et agro-alimentaire, étaient nombreuses, mais organisées en petites exploitations. Dans tout le pays, quatre cents entreprises seulement occupaient plus de cinquante ouvriers et la Bulgarie ne produisait pas une tonne d'acier.

En Albanie, la seule industrie était l'extraction du pétrole due aux investissements italiens : le triangle Vlora-Berta-Fieri vit la production monter de 11 000 barils en 1933 à 934 000 en 1939, pour faire face aux besoins de la campagne italienne d'Éthiopie.

En Grèce, l'industrie occupait plus de bras que chez les voisins — 19 % — et l'on soulignait qu'en l'espace de dix ans après la guerre, elle s'était davantage développée que pendant tout le siècle précédent. Au premier rang venait l'agro-alimentaire, suivi par le textile-coton et la chimie des fertilisants. Cette production provenait pour 90 % de petites entreprises occupant moins de cinq personnes. Le pays continuait à manquer cruellement d'énergie : houille et hydroélectricité.

La Roumanie continuait à tenir la tête des pays des Balkans. Les mines de la Transylvanie étaient venues s'ajouter au pétrole et au bois du vieux royaume: la vallée du Jiu offrait ses mines de fer et sa métallurgie, le Bihor ses métaux non ferreux et sa houille, le sel aussi. Les libéraux au pouvoir avaient fait une politique systématique d'encouragement : de 1923 à 1938, la production industrielle doubla, atteignant presque la part de l'agriculture dans le revenu national (30 % contre 38 %). Au premier rang, l'on trouvait le pétrole avec une production de 1,1 million de tonnes en 1921 et de 8,4 millions de tonnes en 1934 ; par la suite, on assista à un déclin, premier signe de l'épuisement des réserves. L'État roumain avait confisqué les participations allemandes d'avant-guerre et détenait 60 % du capital, suivi par une centaine de sociétés anglaises, françaises, américaines. Cette industrie raffinait 90 % de son brut autour de Ploiesti et exploitait 4 millions de tonnes en 1930 et 6,6 millions en 1935, par la suite de la demande accrue du IIIe Reich. L'État roumain, et le roi en particulier, investit dans la métallurgie : ainsi les usines Malaxa de Bucarest, qui travaillaient pour l'armement. De là le caractère quelque peu artificiel d'une industrialisation à l'abri des tarifs protecteurs.

En dépit des efforts des bourgeoisies nationales, les États balkaniques étaient, à la veille de la Seconde Guerre mondiale, peu développés industriellement et loin derrière les autres États européens.

3. Le rêve communiste : primauté de l'industrie et complexes agro-industriels

En Bulgarie : la prise en main par les communistes

Prisonniers du projet stalinien, les dirigeants communistes de 1945 s'imaginèrent que la transformation de la société dont ils rêvaient se ferait par l'édification d'une industrie lourde qui entraînerait par la suite les industries de consommation, tandis que la terre serait exploitée collectivement en sovkhozes et kolkhozes, aboutissant à des agrovilles. Mais ce rêve se heurta aux situations objectives de chacun des pays et aux gens qui les composaient. Les « voies vers le socialisme » furent différentes et passablement cahotiques.

La Bulgarie abordait l'après-guerre dans une situation relativement privilégiée : les destructions des combats avaient été quasi-négligeables et les producteurs agricoles et industriels avaient bénéficié des achats des belligérants. Elle dut cependant supporter l'occupation de l'Armée rouge et payer des réparations à la Grèce. Face à l'écrasante prépondérance paysanne, le pouvoir nouveau voulut prendre en mains les campagnes. En 1945, il y avait 1 100 000 exploitations dont plus de 60 % étaient inférieures à 5 hectares et représentaient 30 % du sol. Une loi d'avril 1945 sur les « fermes coopératives de travail » (TKZS) envisagea de développer un système de coopératives de production sur le modèle soviétique. Mais les machines manquèrent, malgré les importations de l'URSS ; en février 1948, G. Dimitrov avançait le chiffre de 579 TKZS avec 50 000 membres exploitant 190 000 hectares. C'était peu et indiquait une forte résistance des paysans. Une loi sur la propriété foncière de juin 1945 limitait à 20 hectares par exploitant cette propriété, le surplus étant distribué gratuitement à des paysans sans terre. Cette réforme agraire se limita en fait à répartir 130 000 hectares entre 128 000 ménages paysans, tandis que 77 000 hectares servaient à créer des fermes d'État, ce qui fut le but essentiel.

La lutte contre les structures capitalistes de production prit la forme d'un Plan biennal (1947-1948) voté en avril 1947. Il se donnait pour objectif de modifier l'équilibre économique en augmentant la part de l'industrie de 20 à 30 % et en réduisant celle de l'agriculture de 80 à 70 %. Il prévoyait des investissements importants pour des centrales électriques, des routes, des barrages tels que celui de Kazanlik. Pour réaliser ce Plan, on se tourna vers l'URSS et la Tchécoslovaquie qui fournirent de l'acier, des turbines, des machines agricoles et des engrais. On mobilisa de nombreuses « brigades de jeunes » pour construire les routes et les barrages et à la fin de 1948, on considéra que le Plan avait été réalisé. L'Assemblée vota alors, en décembre de la même année, une loi de nationalisation des banques. Au total 6 000 entreprises devinrent propriété de l'État.

L'on passa dès lors à une industrialisation systématique. Le premier Plan quinquennal achevé fin 1952 imposa le doublement de la production industrielle avec un effort particulier pour les moyens de production ; on crédita de 20,5 % la croissance annuelle de celle-ci. Le second Plan quinquennal (1953-1957) se donna pour objectif d'assurer le développement de l'électrification, de la production houillère et de la métallurgie non-ferreuse. Les investissements dans l'industrie lourde représentèrent les trois-quarts de la totalité des investissements industriels.

À partir de 1957, les plans quinquennaux se succédèrent avec comme objectif de fournir une base matérielle à la construction de ce que l'on appelait une « société socialiste avancée ». Le rythme de croissance de la production était de l'ordre de 10 % par an. Il faut noter que dans les années soixante-dix, une part plus importante fut faite aux industries orientées vers la consommation : le textile-coton et les chaussures, les appareils de radio et de télévision, la vaisselle se trouvèrent dans les magasins en quantité croissante.

Pour tenir compte de l'attachement des paysans à la propriété privée, l'on commença par donner aux membres des TKZS une « rente » proportionnée à la surface apportée quand ils entraient dans la coopérative. Cette « rente » fut supprimée en 1959 quand les TKZS représentèrent 98 % des terres arables. Depuis 1948, des stations de machines et tracteurs fournissaient aux coopératives les moyens techniques d'exploitation. À côté, les « fermes d'État » voulaient démontrer les avantages de l'exploitation agricole mécanisée de grande surface. Dans les années soixante-dix, on passa au regroupement des TKZS en grands complexes agro-industriels réunissant les champs et de petites unités industrielles : il s'agissait de rapprocher progressivement la production agricole de celle de l'industrie.

Le résultat de tout cela fut une incontestable augmentation de la production, tant industrielle qu'agricole. Par rapport à l'avant-guerre, l'extraction de charbon fut multiplié par dix, celle de l'électricité par cent, mais le froment avait seulement doublé, le maïs avait progressé un peu plus. Des erreurs de planification avaient pesé très lourd : le gigantesque combinat métallurgique de Kremikovtsi près de Sofia, construit dans une région où le charbon et le minerai de fer étaient de pauvre qualité et le transport très coûteux, a été qualifié de « fardeau de l'économie bulgare ». Surtout la qualité des produits industriels restait pauvre, la production orientée vers l'exploration dans les pays du Comecon et dans ceux du Tiers-Monde.

Les ambitions roumaines

La Roumanie suivit une voie parallèle. Dès le mois de mars 1945, le gouvernement Petru Groza décréta une réforme agraire qui prévoyait la confiscation des terres des criminels de guerre, collaborateurs et l'expulsion sans indemnité des domaines de plus de cinquante hectares, pour être distribués à des « paysans pauvres » par des commissions animées par des communistes venus de la ville. 1 468 000 hectares furent confisqués à 143 500 propriétaires et 1 140 000 hectares distribués à 800 000 familles paysannes, le reste demeurant domaine de l'État. Réforme d'une belle ampleur, moins cependant que celle de 1918-1922, qui avait porté sur six millions d'hectares. Les latifundia disparurent et la petite propriété de un à cinq hectares passa de 63 à 76 % des exploitations.

Sur le plan économique, les prélèvements de l'Armée rouge avaient été considérables et un accord de mai 1945 stipulait le paiement à Moscou de 300 millions de dollars d'indemnité pour la participation à la guerre contre l'URSS. On mit sur pied des sociétés mixtes soviéto-roumaines — les SOVROMS — dont un pipe-line Ploesti-Odessa, qui pesèrent lourd sur l'économie du pays et existèrent jusqu'en 1954. Les communistes avaient pris en mains le ministère de l'Industrie et du Commerce et décidèrent en décembre 1946 l'étatisation de la Banque nationale et de tous les établissements bancaires, et en mai 1947, la création « d'offices industriels » qui dressèrent l'inventaire des entreprises. Une fois débarrassé du roi Michel, le 30 décembre 1947, le PC roumain passa à la construction du système stalinien. Une loi de juin 1948 nationalisait les principales entreprises industrielles et minières, les banques, les assurances et les transports et instaurait la « propriété socialiste » des moyens de production. En juillet, une « commission du Plan d'État » fut mise en place et élabora pour l'année suivante un Plan annuel qui envisageait une augmentation de 40 % de la production de l'industrie lourde.

En même temps, on inaugura des « fermes collectives » formées de paysans sans terre et de paysans pauvres, avec l'accompagnement indispensable des stations de machines-tracteurs (MTS) et des fermes d'État. L'opération fut longue et difficile, la résistance des paysans acharnée ; à la fin de 1949 existaient 56 fermes agricoles collectives englobant 15 000 hectares de terres arables ; un an plus tard, ces chiffres étaient de 1 027 avec 250 000 hectares. Mais se posait le problème des tracteurs dont le nombre restait inférieur à celui de l'avant-guerre. Devant la mauvaise volonté des paysans, le PC autorisa une « forme inférieure » de coopération semblable à l'artel soviétique : « l'association agricole » laissait aux exploitants la propriété de la terre et du bétail et ne mettait en commun que la culture des terres arables. En mars 1953, le bilan était encore mitigé : les fermes d'État cultivaient 670 000 hectares, les fermes collectives de type kolkhoze 370 000, les associations agricoles de type artel 550 000 ; au total un secteur socialisé de 1 600 000 hectares, face à un secteur entièrement privé de 8 400 000 hectares, soit cinq fois plus.

Le premier Plan quinquennal (1951-1955) projettait de doubler la production par une politique d'investissements massifs dans l'industrie (51 %), tandis que l'agriculture n'en recevait que 10 % et la consommation sociale (construction, administration, culture), 22 %. La priorité était donnée à l'industrie lourde avec 42 % des investissements. Cela demandait un gros effort à la population, alors que les pénuries subsistaient. Ce plan était lié à deux vastes projets : celui de l'électrification du pays dans les dix années à venir (1951-1960) qui devait amener l'électricité dans tous les villages roumains et le creusement d'un canal Danube-mer Noire à travers la Dobrudja pour raccourcir de 300 kilomètres le trafic fluvial et pour lequel on fit un vaste appel à la main d'œuvre des condamnés politiques.

Après les deux années de détente dues au « Nouveau Cours » imposé par Moscou au lendemain de la mort de Staline et qui permirent au peuple roumain de souffler, la socialisation reprit toute sa vigueur dès 1958. Dans les campagnes, les « associations agricoles » furent transformées en fermes collectives de type kolkhozien et au printemps de 1962, l'on proclama l'achèvement du processus de socialisation de l'agriculture, bien que les nouvelles fermes aient manqué de matériel et de cadres compétents. Dans l'industrie, on mit en chantier le grand complexe sidérurgique de Galati et l'on s'orienta vers la production de machines. Les investissements furent maintenus dans l'industrie lourde et durant les années soixante, la production industrielle augmenta de 12 à 14 % par an.

Nicolae Ceaucescu, qui arriva au pouvoir en mars 1965, voulut faire de la Roumanie un pays doté d'une industrie moderne. Dans les années 1965-1970, la sidérurgie connut un indiscutable essor et l'ingénierie était la plus importante et la plus diversifiée de l'Europe de l'Est. Les usines absorbaient encore 80 % des investissements et l'on se lança dans la construction d'une pétrochimie qui vint épauler la sidérurgie. Mais il fallait pour cela des capitaux que Ceaucescu demanda aux banquiers occidentaux. Le choc pétrolier de 1974 obligea la Roumanie à abandonner ses fournisseurs du Moyen-Orient et provoqua la ruine de sa pétrochimie. En novembre 1981, elle se déclara en cessation de paiement et réclama un rééchelonnement de sa dette qui lui fut accordé moyennant des conditions draconiennes : elle devait assainir sa balance commerciale en déficit depuis 1976 par une réduction des importations et un maintien des exportations. Dès octobre 1982, des décrets organisèrent le rationnement des produits de première nécessité : d'où les coupures de courant, les files d'attente, le manque d'eau chaude. La Roumanie s'installait dans la pauvreté, tandis que les mêmes restrictions à l'importation amenaient une baisse de la production industrielle : les objectifs du Plan étaient loin d'être atteints. Pendant ce temps, l'État remboursait sa dette et liait davantage son économie à celle du Comecon réuni à Ulan Bator (mars 1988), mais la Perestroïka de Gorbatchov échoua sur la réforme économique. Ce fut la crise, aggravée par la mégalomanie de Ceaucescu qui rêvait de réunir les paysans dans des agrovilles succédant aux villages traditionnels et qui faisait raser une partie de Bucarest pour construire son palais.

Les efforts de l'Albanie

La petite Albanie vécut les mêmes rêves : une politique volontariste d'industrialisation, appuyée sur une agriculture entièrement socialisée. L'on commença, dès novembre 1944, par une série d'ordonnances donnant à l'État un contrôle de la production et de la distribution de produits, puis on nationalisa les entreprises étrangères et albanaises ; à la fin de 1946, 167 fabriques et entreprises (centrales électriques, usines textiles, fabriques alimentaires, matériaux de construction) avaient été nationalisées, représentant 95 % de la production. Dès cette date, l'industrie capitaliste avait disparu en Albanie. En même temps, on procéda à une drastique réforme agraire par la loi du 20 août

1945. La propriété était limitée à quarante hectares, le surplus était distribué gratuitement à des paysans sans terre : 155 000 hectares passèrent ainsi entre les mains de 70 000 familles. C'était peu, mais les paysans sans terre ne représentaient, avant la réforme que 21 000 familles.

Le développement économique prit la forme de plans annuels, puis quinquennaux, à partir de 1951. Pendant quarante ans, la priorité fut accordée à l'industrie lourde, donnant des taux remarquables d'augmentation de la production : plus de 22 % l'an pendant le premier Plan quinquennal. Il est vrai qu'on partait pratiquement de rien ! L'on vit sortir de terre des usines de textile, de bois, des centrales électriques, des exploitations pétrolières. En 1954, l'on fut obligé de freiner ce développement pour tenir compte des retards de l'agriculture. Celle-ci était en voie de collectivisation depuis 1947. Le processus de formation des kolkhozes fut lent au début. En 1956, il n'y en avait que 318, représentant 13,5 % du sol, mais quatre ans plus tard, on annonçait que 87 % du sol était socialisé. Restaient les zones montagneuses qui furent absorbées par la socialisation en 1961-1965, ce qui se traduisit par le défrichement des collines de la Riviera albanaise où des équipes de jeunes créèrent des milliers de terrasses pour la culture des agrumes.

À partir de 1960, l'industrie dépassa l'agriculture dans le volume global de la production et la population urbaine représentait 31 % du total contre 15 % en 1938. On mit alors l'accent, dans les plans, sur la création de nouvelles usines pour le traitement du cuivre, du ferro-nickel, du chrome, sur la chimie des engrais. La rupture avec Moscou (novembre 1960) et le blocus décrété par les démocraties populaires provoquèrent une crise grave : le troisième Plan quinquennal (1961-1965) ne put être réalisé. L'aide de la Chine fut donc la bienvenue et permit en 1970 l'achèvement de l'électrification du pays. L'arrêt de la collaboration avec Pékin, en juillet 1978, obligea Tirana à s'orienter davantage vers la France et l'Italie, sans renoncer à sa doctrine marxiste-léniniste. Il fallut attendre la période qui suivit la mort d'Enver Hoxha en 1985 pour que l'on assiste à une modification de la politique économique, sous la pression d'une population de plus en plus fascinée par le modèle occidental. En juillet 1990 seulement, l'Assemblée populaire permit les investissements étrangers, mais l'effondrement du système marxiste s'est traduit, là aussi, par une crise économique profonde.

4. La variante yougoslave

Les limites du modèle stalinien

Le Tito triomphant de 1945 n'avait ni réparations à payer à ses voisins, ni armée d'occupation sur son territoire : il put à sa guise reconstruire l'économie. Les pertes dues à la guerre étaient énormes et l'on opta pour le modèle stalinien : le projet était la création d'une industrie puissante capable de résoudre, pensait-on, tous les problèmes sociaux et nationaux.

Les occupants allemands ayant contrôlé la majorité de l'industrie, des banques, des transports, il fut facile de décréter la confiscation des biens de leurs collaborateurs : ce qui fut fait, de telle sorte qu'au milieu de 1947, la quasi totalité de ces secteurs étaient sous le contrôle du gouvernement. Dans l'agriculture, on procéda de même à la confiscation des grands domaines des propriétaires allemands et autres de Vojvodine, Croatie, Slovénie. Une démocratie paysanne vit le jour, bien vite sacrifiée aux impératifs de la doctrine. En janvier 1949, six mois après la rupture avec Staline, Tito, pour répondre à d'éventuelles critiques soviétiques, ordonna une collectivisation des campagnes par la création de *zadrugas* — correspondant aux kolkhozes. Les paysans résistèrent, tuèrent leur bétail, stockèrent leurs produits : en 1950, la production agricole tomba à 73 % de l'avant-guerre, celle des grains à 43 %. C'était donc un échec.

Pendant ce temps, tirant les conséquences de la brouille avec Moscou, les dirigeants yougoslaves qui continuaient à vouloir s'affirmer marxistes — et même meilleurs marxistes que les soviétiques — mirent au point leur propre doctrine face au modèle stalinien.

L'autogestion yougoslave : les industries nationales

Ils affirmèrent la nécessité d'une décentralisation de l'État et d'un contrôle par le « peuple » de l'activité économique. En juin 1950, l'Assemblée nationale vota un ensemble de lois sur la direction des entreprises économiques qui la confiaient aux « travailleurs » et créaient la notion de « propriété sociale » et non plus étatique, pour ces entreprises. Chaque usine avait son « conseil ouvrier » élu au scrutin secret ; ce conseil choisissait les organes dirigeants, en particulier le directeur, et décidait du plan de production par discussions avec ceux-ci. En fait, les ouvriers, pour beaucoup illetrés, se laissèrent facilement convaincre par les membres du Parti communiste de faire confiance à la direction plus ou moins influencée ou manœuvrée par les autorités du Plan. Celui-ci, en effet, conservait son caractère centralisé et balança toujours entre des directives autoritaires et de simples incitations. De plus, la notion des règles du marché n'étaient pas prises en compte : si l'entreprise perdait de l'argent, l'État payait la différence. La situation changea au début des années soixante quand l'on appliqua le principe du profit : désormais, les salaires dépendaient du résultat.

L'échec de l'agriculture obligea le gouvernement à faire machine arrière. Dès mars 1953, on permit aux paysans de quitter les coopératives et de récupérer leurs terres jusqu'à dix hectares. Le mouvement fut rapide ; en 1957, le secteur socialiste ne représentait plus que 9 % du sol, essentiellement des fermes d'État. La Yougoslavie titiste redevint — et resta — une démocratie paysanne de petits propriétaires.

La décentralisation prévue par les textes s'exprima par la création d'industries « nationales » ; chaque république était fière de « son » aciérie ou de « sa » centrale électrique et de la formation de cette « bourgeoisie rouge » dénoncée par Djilas. Une des conséquences fut l'accroissement des différences entre les républiques : celles du Nord (Slovénie, Croatie) ayant un niveau de production — et donc de vie — très supérieur à celles du Sud (Bosnie-Herzégovine, Monténégro, Macédoine). Pour y remédier, on créa en 1965 un « Fonds fédéral pour le développement » qui prévoyait que les républiques riches devaient payer pour permettre aux républiques pauvres de bénéficier de prêts à intérêt réduit. Cette pratique souleva de fortes objections et Slovènes et Croates répétèrent à qui voulait les entendre qu'ils « nourrissaient » les gens du Sud. Quoi qu'il en soit, l'industrialisation se fit avec les matières premières venant de Bosnie-Herzégovine (minerai de fer, houille et lignite), du Monténégro (bauxite), de Macédoine (lignite), tandis que les usines de Slovénie, Croatie et Serbie sous-traitaient les éléments de leurs produits dans l'ensemble de la Fédération. Ainsi, la fabrique Zastava, installée en Serbie, utilisait 13 000 articles provenant de 240 fabricants répartis partout dans le pays. Cette dispersion n'a pas empêché le cloisonnement du marché pour les produits finis : en 1987, 76 % des produits fabriqués en Serbie étaient vendus sur place, 70 % pour la Bosnie et la Croatie, 63 % pour la Slovénie. Les marchés avaient tendance à se « nationaliser », tout en affirmant des complémentarités secondaires.

Sur le plan de la main d'œuvre, on assista à un développement d'un chômage déguisé qui, outre un fort mouvement vers les villes, contraignit nombre de Yougoslaves à aller travailler à l'étranger, essentiellement en Allemagne : en 1973, le chiffre des migrants dépassa le million. À noter que la Yougoslavie était le seul pays de l'Est à permettre une telle mobilité des travailleurs. Dans l'agriculture, des lois furent passées pour aider les petits fermiers indépendants. Dans les années soixante-dix, 2,5 millions de paysans exploitaient 88 % du sol et possédaient 91 % du bétail ; ils participaient pour 76 % à la production agricole.

En 1974, la nouvelle constitution fournit une base à la décentralisation, également sur le plan économique. Le pays donnait alors une impression de plus grande prospérité que ses voisins, mais cela provenait de ce qu'il vivait au-dessus de ses moyens par des emprunts qui compensaient les déficits de la balance commerciale. L'autogestion continuait à mettre en opposition l'intérêt personnel des ouvriers et les exigences de la population, l'agriculture entre les mains de petits fermiers ne répondait pas aux exigences des planificateurs, et surtout le pays s'enfonçait peu à peu dans une inflation qui atteignait déjà 30 % par an à la mort de Tito. À cette date, la dette était évaluée à 15 milliards de dollars et il y avait 800 000 chômeurs déclarés.

Les successeurs de Tito, aux prises avec les revendications des différentes républiques, ne purent faire face : l'inflation atteignit deux et même trois chiffres. Une crise économique grave allait — cause et conséquence — conduire à une crise des nationalités et à l'éclatement de la Fédération.

LES DANGERS DU TOTAL-NATIONALISME

Le total-nationalisme est né de l'intégration des constituants suivants : l'appareil du parti ex-communiste contrôlant l'État, plus une formidable machine militaire, plus une idéologie nationaliste exaspérée. Cette synthèse est dotée d'une puissante énergie militaire, et d'une énergie mythologique

fanatique née de la frustration nationale d'un peuple dispersé, qui elle-même s'alimente des frustrations historiques du passé [...].

La formule intégrée du total-nationalisme existe désormais. Elle est dotée d'un grand pouvoir de contamination. De même qu'une fois constitué par la Révolution française le modèle national moderne a essaimé à travers le monde, de même qu'une fois constitué le modèle stalinien a essaimé en Europe, en Asie et en Afrique, de même le nouveau modèle, une fois achevé, va être doté d'une puissante force de diffusion, et précisément dans l'ex-empire soviétique, où des conditions critiques/crisiques analogues à celles de l'ex-Yougoslavie se trouvent réunies.

Une fois encore, l'avenir se jouera à Moscou. La Russie est en situation géopolitique de macrocosme analogue à la situation du microcosme serbe. Il y a des populations russes dispersées dans des nations devenues étrangères au sein de la Russie. Il y a des frustrations nationales qui s'exaspèrent dans et par la triple crise où se débat le pays. L'appareil du Parti a été, certes, mis hors pouvoir, et il a été partiellement démantelé, mais il en subsiste le noyau militaro-industriel. Le discrédit des libéralisations brutales recrédite un communisme sécuritaire. Une partie des fragments disjoints du système totalitaire pourraient se recombiner dans un nouveau système caractérisé par la symbiose déjà en cours entre conservateurs staliniens et nationalistes intégristes, et par une coalition au niveau suprême de hauts militaires et de hauts apparatchiks. Ce ne serait pas le retour pur et simple à l'ancien système : les avantages de l'économie de marché, le recours aux investissements extérieurs et aux *joint ventures*... seraient intégrés dans le maintien du pouvoir d'État sur les secteurs économico-militaires clés. Mais l'essentiel sera dans le remembrement total-nationaliste d'un système militaro-politique intégré et dans sa capacité à porter hors de ses frontières la guerre et le nettoyage ethnique pour protéger, intégrer ses allogènes dans un nouvel espace vital. La formule de Michnik — « le nationalisme est le stade suprême du communisme » — peut être aujourd'hui complétée : c'est le total-nationalisme qui est le stade ultime du communisme. »

Edgar Morin, *Le Monde*, 11 mars, 1993.

5. La Grèce capitaliste

La reconstruction sous l'égide des États-Unis

La Seconde Guerre mondiale, puis la guerre civile avaient entraîné des déplacements de population : 700 000 individus pour la seconde, dont beaucoup, plutôt que de retourner dans leurs montagnes arides, préférèrent rester dans les villes. Les destructions dues aux opérations militaires étaient énormes, ce qui avait aggravé les conditions de base de l'économie : manque de terres arables et pauvreté du système énergétique pour l'industrie. En 1950 encore, l'agriculture employait 50 % de la population et les petites entreprises dominaient dans l'industrie et l'artisanat, résultat d'une pratique traditionnelle d'héritage familial. Protégées par de hauts tarifs douaniers, elles s'efforçaient de survivre, rétives aux dépenses pour l'achat de matériel moderne. Les Grecs préféraient investir dans le commerce plutôt que dans l'industrie.

À la fin des conflits, le pays regardait vers l'Occident et attendait une aide de son protecteur, l'Angleterre. Celle-ci, prise elle-même par les nécessités de sa reconstruction, se tourna vers les États-Unis qui étaient les leaders du « monde libre » de la Guerre froide. Entre 1947 et 1966, ils donnèrent près de deux milliards de dollars comme aide économique et presque autant comme aide militaire, soit près de quatre milliards de dollars pour un pays de huit millions d'habitants. S'appuyant sur ces avances, les Américains exigèrent un contrôle par leurs experts et une participation aux différents programmes par l'intermédiaire d'un ministre de Coordination sur lequel ils avaient la haute main. Leur présence fut particulièrement importante dans le domaine militaire ; là, des officiers des *US Forces* intervenaient à l'État-major général et dans le commandement des grandes unités. L'ambassade américaine d'Athènes devint, pour les partis politiques grecs, le centre d'intrigues qui faisaient et défaisaient les gouvernements. Le résultat fut que la présence américaine apparut aux partis d'opposition comme le protecteur et le garant de régimes réputés impopulaires.

Sous cette égide, le gouvernement du maréchal Papagos (1952-1963) fit de grands efforts pour améliorer la situation économique. Dans l'agriculture, des mesures furents prises pour augmenter les rendements et un plan d'irrigation fut réalisé pour étendre les surfaces cultivables. En 1957, pour la première fois, la production agricole fut capable de faire face complètement à la demande intérieure, ce qui mobilisa 31 % du sol. Le reste était orienté vers le tabac, le coton, les fruits secs et frais, produits qui, vers 1965, représentaient plus de la moitié des exportations de la Grèce. Sur le plan industriel, la libre-entreprise fut favorisée ; on dévalua le drachme de 50 % en 1963, on construisit des stations électriques et l'on développa l'exploitation des mines et des ressources minérales. Un grand plan d'électrification fut lancé en 1955 avec l'aide technique américaine, qui en quinze ans apporta le courant électrique jusque dans les villages les plus reculés. Un réseau de routes, commencé pour des raisons militaires pendant la guerre civile, fut achevé. Pendant toute cette période, l'influence américaine fut grande et s'inspira de la politique du *New Deal* de Roosevelt ; le Plan Marshall se termina en 1952, mais pendant la guerre de Corée (1950-1953), Washington soutint Athènes qui prit sa place dans l'OTAN et continua son assistance financière.

L'ancrage européen

La période qui suivit la mort de Papagos et qui fut celle du premier gouvernement de Karamanlis, fut marquée par un essor économique remarquable. En 1951, le revenu moyen par tête était de 112 dollars, il monta à 276 en 1956 et 500 en 1964, encore loin, il est vrai, du niveau européen. Un phénomène important fut le déplacement de la population vers les villes et au-delà des mers vers les États-Unis, le Canada et l'Australie. 850 000 personnes, soit 26 % de la force de travail du pays, émigrèrent entre 1951 et 1970 ; à quoi s'ajoutèrent des travailleurs temporaires en Allemagne de l'Ouest dont les gains contribuèrent à équilibrer la balance des paiements. À l'intérieur, durant les dix années de 1951 à 1961, la population d'Athènes passa de 1 370 000 à 1 850 000, ce qui concentra dans la capitale presque le quart des habitants du pays. En 1961, les populations rurales et urbaines s'équilibraient en Grèce. L'appel aux capitaux étrangers donna lieu à des initiatives parfois fort critiquées, telles les usines d'aluminium de Péchiney ou les raffineries du Standard Oil de New Jersey à Thessalonique.

Le gouvernement de Georges Papandréou (1964-1967) avait été élu sur un programme de réformes sociales. Sur le plan économique, il s'efforça d'augmenter les salaires ouvriers et les revenus des paysans en relevant les prix agricoles mais il ne put mettre en place un système poussé de sécurité sociale. Ces réformes — pourtant modestes — se traduisirent par une inflation dès le milieu de 1965. La dictature militaire s'efforça d'aider les couches pauvres de la population : les dettes des paysans furent allégées et les salaires augmentés. Le revenu moyen par tête passa de 700 dollars en 1967 à 1200 dollars en 1973, mais l'inflation continua à progresser, atteignant 30 % en 1973, le plus haut niveau dans l'Europe d'alors. Karamanlis, revenu au pouvoir en juillet 1974, puis le parti socialiste (PASOK), maître du gouvernement avec Andreas Papandréou depuis octobre 1981, pratiquèrent des politiques opposées. Alors que Karamanlis fortifiait l'entreprise libre, Papandréou appliqua un programme de nationalisations, mais se heurta à une inflation grandissante qui freina la croissance économique : le pays se révélait incapable de payer les réformes sociales prévues par le PASOK. Karamanlis, revenu au pouvoir, s'efforça de rattacher plus fortement son pays à l'Europe. En 1990, la Grèce restait cependant, avec le Portugal, le point faible de la Communauté, avec un revenu annuel par habitant égal à 55 % de la moyenne européenne. C'était le résultat d'une longue histoire.

Chapitre 8

— Problèmes d'aujourd'hui —

Les révolutions de 1989-1990 ont mis à bas leur ancien régime dans quatre des cinq États balkaniques : la Bulgarie en novembre 1989, la Roumanie en décembre 1989, l'Albanie en décembre 1990, la Yougoslavie par un plus long processus de 1989 à 1991. Ces révolutions ont eu un double caractère « démocratique ». Anti-totalitaires, elles ont voulu d'abord la fin du monopole du pouvoir du parti communiste et de ses chefs — la détestée *nomenklatura* avec ses privilèges. La demande fondamentale a été celle du pluralisme politique. La seconde revendication était plus floue : elle portait sur une amélioration immédiate et décisive des conditions de la vie quotidienne — le mirage de la société occidentale — que l'on espérait obtenir par un passage à l'économie de marché.

1. La Bulgarie isolée

Le successeur de Todor Jivkov fut, le 9 novembre 1989, le jour même de la chute du mur de Berlin, Petar Mladenov, qui fut nommé secrétaire général du parti communiste (PCB) et président de la République. Sofia s'embrasa et des dizaines de milliers de manifestants demandèrent la liberté et la fin du régime communiste. Mladenov ne fit pas intervenir la police et supprima le service de sécurité lié au KGB. L'on parla de « Révolution douce ». L'opposition s'organisa le 7 décembre 1990 en une « Union des forces démocratiques » (UDF) regroupant les seize partis et organisations qui avaient vu le jour depuis la chute de Jivkov. Le président en fut Jeliou Jelev, un philosophe marxiste dissident du parti communiste depuis 1960. Sous sa direction, l'opposition s'orienta vers un démantèlement du système et la transition vers l'économie de marché. Les membres du PCB rompirent avec Jivkov et sa clique et commencèrent par annuler sa politique vis-à-vis des Turcs ; toutes les mesures prises furent annulées par l'Assemblée nationale. Beaucoup d'émigrés rentrèrent et constituèrent un « Mouvement des droits et des libertés » (MDL) pour défendre les intérêts des turcophones. En avril 1990, le parti communiste bulgare réuni en congrès décida de s'appeler désormais Parti socialiste bulgare ; son président fut Alexandre Lilev, Petar Mladenov demeurant encore chef de l'État. Aux premières élections de juin 1990, ce parti socialiste obtint 47 % des suffrages et arriva en tête avec 211 sièges sur 400 ; l'UDF en recevait 144, les Turcs 23 : les « Rouges » tenaient encore la campagne, les « Bleus », c'est-à-dire l'opposition, dominaient les villes, en particulier Sofia. Il y eut des protestations contre des manipulations électorales et des fraudes de la part des anciens cadres communistes restés en place en province. Les étudiants de l'université de Sofia réagirent en demandant la démission de Mladenov, ce qu'ils obtinrent le 6 juillet 1990. Après de longues et difficiles négociations, le 1er août 1990, le chef de l'opposition, Jeliou Jelev devint chef de l'État. Le parti socialiste reconnaissait par là qu'il ne pouvait gouverner seul, bien qu'ayant obtenu la majorité absolue à l'Assemblée. L'agitation continua et le 26 août le quartier général de l'ancien PCB, au cœur de Sofia, fut détruit par un incendie. En même temps le mausolée de Dimitrov, réplique de celui de Lénine, était vidé de la dépouille du chef communiste qui fut incinérée. Le partage des biens — considérables — du PCB donna lieu à de vives contestations de la part des organisations politiques appelées à en être les bénéficiaires et le Président Jelev s'efforça d'arriver à une solution raisonnable.

La vie politique se compliqua par des scissions qui affectèrent les forces principales. Il est vrai que le pays se débattait dans une crise économique très grave due à l'effondrement de ses échanges avec la Russie et les pays du Comecon. Les élections du 13 octobre 1991 pour le renouvellement du Parlement virent quarante et une formations se disputer les 6,5 millions de suffrages des inscrits. L'Union des forces démocratiques arriva en tête avec 36,5 % des voix, tandis que le Parti socialiste le talonnait de près avec 33,3 % et que les petites formations étaient balayées. On assista ainsi à une relative bipolarisation de la vie politique. Le 8 novembre, le nouveau gouvernement constitué ne comprenait aucun membre de l'ex-parti communiste. Mais la réélection de Jeliou Jelev en janvier 1992 ne fut acquise qu'au second tour du suffrage avec une courte majorité, 53 % des voix.

En dehors de l'attitude de la population turque qui, tout en manifestant sa sympathie pour les musulmans bosniaques, demeure calme actuellement, un autre problème de la politique bulgare est celui de la Macédoine. L'ancienne République yougoslave de Macédoine proclama son indépendance le 8 septembre 1991 par référendum : 90 % des électeurs se prononcèrent pour un État « libre, souverain et indépendant ». En cela, il suivirent l'avis du président de la République Kiro Gligorov qui, après avoir été partisan du maintien de la Fédération yougoslave, avait déclaré que la Macédoine quitterait cette fédération si la Slovénie et la Croatie en sortaient. Cette république de deux millions d'habitants compte 68 % de de Slaves dits macédoniens, 19 % d'Albanais-Turcs, quelque 50 000 Serbes et de nombreux Tsiganes. Elle est le résultat des traités de 1913 qui mirent fin aux Guerres balkaniques et donnèrent 51 % du territoire de la Macédoine géographique à la Grèce, 9 % à la Bulgarie et 39 % à la Serbie. C'est cette dernière partie que Tito, en 1945, érigea en République de Macédoine dans ses frontières actuelles. Au début de l'année 1992, la Commission d'arbitrage de la CEE présidée par R. Badinter donna un avis favorable à la reconnaissance de la République par la Communauté ; mais cette reconnaissance se heurte à l'opposition d'un État membre, la Grèce. Celle-ci fit objection dès 1990 en s'appuyant d'abord sur le nom qualifié d'« intolérable » car appartenant au « patrimoine hellénique ». D'autre part, elle craint un « irrédentisme » qui apparaît, il est vrai, dans certaines publications nationalistes, telles celles du très minoritaire Parti démocratique pour l'unité nationale macédonienne (VMRO) ; certains articles de la constitution adoptée par la République en novembre 1991 font allusion à un débouché sur la mer Égée et sont, aux yeux des Grecs, la porte ouverte à la « Grande Macédoine » avec Thessalonique comme port. La position d'Athènes est absolument bloquée. En février 1992, une énorme manifestation mobilisa à Thessalonique plusieurs centaines de milliers de personnes qui défilèrent aux cris de « Nous, les Macédoniens, sommes les descendants d'Alexandre le Grand ». Au printemps de la même année, le président du conseil grec congédia Antonin Samaras, ministre des Affaires étrangères réputé pour son intransigeance envers Skopje. Le changement de majorité à Athènes et l'arrivée au pouvoir du PASOK n'a rien modifié ; au contraire, la campagne électorale a eu lieu sur un fond de nationalisme agressif et, en dépit du fait que la république de Macédoine ne peut compter que sur une armée de 12 à 16 000 hommes, le 17 février 1993, juste avant de prendre la présidence de la Communauté européenne, Athènes a décrété un blocus commercial contre la République, fermant ainsi le robinet du pétrole du port de Thessalonique. La CEE protesta et six États membres, France Allemagne, Grande-Bretagne, Italie, Pays-Bas et Danemark, ont décidé d'envoyer un ambassadeur dans ce qui est à leurs yeux « l'Ancienne République yougoslave de Macédoine » (en anglais FYROM).

Face à ce foyer de tension, la politique de la Bulgarie a été sage. Certes, l'ancienne ORIM (Organisation révolutionnaire intérieure macédonienne) a des héritiers à Blagoevgrad, capitale de ce que les Bulgares appellent la « Macédoine du Pirin », et les liens familiaux demeurent par delà les frontières. Mais pour les Bulgares d'aujourd'hui, la lutte est close : le débat est historique et porte sur l'affirmation du caractère « bulgare » des Macédoniens qui ne peuvent en aucun cas constituer une nation. Le président Jeliou Jelev a ainsi été le premier à reconnaître diplomatiquement la Macédoine dans un « souci de stabilité », a-t-il déclaré. La Bulgarie d'aujourd'hui aspire à la paix.

2. L'Albanie oubliée

Au pouvoir depuis la mort d'Enver Hoxha, Ramiz Alia présida aux réformes des années 1989-1990, plus audacieuses que celles de la période précédente, bien que destinées dans l'esprit de son promoteur à maintenir le système communiste. À l'automne 1989, deux publications, dont une nouvelle d'Ismaïl Kadaré parue dans Drita, l'organe de la Ligue des Écrivains faisait l'éloge des droits individuels et réclamait plus de liberté pour les écrivains. Ce fut le premier signe de l'accélération de l'évolution. Le pays s'ouvrit davantage : les relations furent rétablies avec l'Allemagne et le Canada puis, en 1991, avec l'URSS et les États-Unis.

Les échanges avec les pays occidentaux se développèrent largement. Mais ces innovations se heurtèrent à la résistance d'éléments du Bureau politique du Parti, des cadres moyens de l'administration et à l'indifférence de la population inquiète pour son niveau de vie, d'autant que la liberté accordée aux médias permettait à l'opinion publique d'être au courant de ce qui se passait dans les autres pays ex-communistes. Ramiz Alia lança un plan économique appelé « le nouveau mécanisme économique » qui accordait plus de libertés aux entreprises, doublait l'étendue des terres possédées en propre par les paysans coopérateurs à qui l'on rendait le bétail collectif ; artisans et commerçants pouvaient ouvrir des entreprises privées. Pour stimuler la production et en dépit de la constitution imposée par Enver Hoxha en 1976, on autorisa des investissements étrangers. Le désordre bureaucratique freina largement ces réformes : en 1990, le revenu national diminua de 10 % par rapport à l'année précédente, l'inflation augmenta et l'on vit apparaître 50 000 chômeurs. Sur le plan politique, Ramiz Alia s'efforça de conserver au parti communiste le monopole du pouvoir mais encouragea les organisations qui dépendaient de lui, comme le « front démocratique », les organisations de la jeunesse et des femmes, à jouer un rôle plus actif. Cela ne suffit pas pour apaiser le mécontentement grandissant des étudiants, intellectuels et jeunes travailleurs qui réclamaient l'établissement d'un système à plusieurs partis politiques : en octobre 1990, Ismaïl Kadaré émigra à Paris. En décembre, une grève des étudiants de l'université de Tirana fut accompagnée de vives manifestations dans les centres industriels de Dürres, Elbasan et Shköder. Au bout de quelques jours, « l'Assemblée du peuple » — le Parlement — approuva un décret établissant un système multiparti. Le lendemain, 19 décembre 1990, le premier parti d'opposition, le Parti démocratique, voyait le jour et était légalisé. Ramiz Alia écarta du Bureau politique du parti communiste les derniers compagnons d'Enver Hoxha, dont sa veuve, Nexhmije Hoxha, tandis que dans tout le pays les statues de Staline qui trônaient sur les places publiques étaient abattues. Le dernier jour de l'année était publié un projet de constitution qui sanctionnait le système multiparti, garantissait les libertés individuelles et incorporait les dernières réformes économiques. Mais il conservait dans son préambule le tableau du rôle du parti communiste depuis la guerre et l'appellation de l'Albanie comme « République socialiste du Peuple ». Toutefois, l'interdiction de pratiquer la religion fut abolie et partout dans le pays on vit reparaître un clergé et se rouvrir les églises et lieux de culte. À noter encore qu'en cette année 1990, on rétablit le passeport, ce qui provoqua en juillet une ruée vers les ambassades occidentales de Tirana ; en même temps, le tourisme était relancé et amena dans le pays 25 000 visiteurs, parmi eux le secrétaire général de l'ONU.

Tirana signa également le traité de non-prolifération de l'énergie nucléaire, participa aux différentes activités de l'ONU. L'année 1990 avait marqué pour l'Albanie la fin du système d'Enver Hoxha.

Depuis, elle essaye le double apprentissage de la démocratie et de l'économie de marché. La situation économique se dégradant, de nombreux Albanais se réfugièrent en Grèce et en Italie. Les élections pour le renouvellement de l'Assemblée populaire eurent lieu le 31 mars 1991 dans une conjoncture de grèves et de manifestations. C'étaient les premières élections libres dans le pays. 99 % des électeurs participèrent au vote ; les communistes obtinrent 56 % des suffrages et 68 % des sièges à l'assemblée ; le Parti démocratique d'opposition recueillait 39 % des voix et 30 % des sièges. Les campagnes avaient massivement voté pour les représentants des anciens dirigeants. Les grandes villes, par contre, se rangeaient derrière les opposants et le président Ramiz Alia fut battu dans sa circonscription de Tirana. Le pays connut alors une crise grave. Les manifestations se multiplièrent : à Shköder trois manifestant furent tués et le siège du parti communiste incendié. Néanmoins Ramiz Alia fut réélu président de la République par une nouvelle assemblée après avoir renoncé à ses fonctions dans le parti communiste. L'Albanie abandonnait son appellation ancienne de République socialiste et devenait simplement la République d'Albanie. La vie politique apparaissait difficile car les gouvernements n'avaient plus de prise réelle sur le pays. En juin 1991 un « cabinet de coalition » se constitua, le premier depuis la guerre ; il intégrait quatre membres du Parti démocratique, à côté de ministres issus du parti communiste qui, de Parti du travail, devint alors Parti socialiste. La tâche principale du gouvernement était de préparer de nouvelles élections prévues pour le printemps 1992. En attendant, des centaines d'Albanais fuyaient leur pays sur des bateaux de fortune et demandaient asile en Italie. Pour se rendre compte de la situation, le secrétaire d'État américain fit en juin le voyage à Tirana et promit une aide financière modeste. L'Albanie connaissait alors des opérations de pillage contre des boulangeries, entrepôts de nourriture et l'hiver 1991-1992 fut particulièrement difficile. Très attendues, les nouvelles élections eurent lieu les 22 et 29 mars 1992. Cinq cents candidats de onze partis se disputèrent les 140 sièges de députés de l'Assemblée. Le Parti démocratique de Sali Berisha, un médecin originaire du nord du pays, obtint la majorité absolue avec 62 % des suffrages et 92 sièges tandis que les socialistes n'obtenaient que 25 % des voix. Ramiz Alia en tira la conséquence et donna sa démission du poste de président de la République où il fut remplacé par Sali Berisha. Depuis, les démocrates sont les maîtres du pouvoir à Tirana : ils ont démantelé les coopératives agricoles de production, ce qui a provoqué la réapparition d'un paysannerie de tout petits producteurs ; ils proposent leurs richesses minières aux investisseurs étrangers, mais se heurtent au lourd héritage des mentalités façonnées par cinquante ans de dictature qui ont orienté les producteurs vers une passivité de type africain. Notons parmi les événements de 1993, le voyage à Tiranan et à Shköder du pape Jean-Paul II, le 25 avril, qui fut un encouragement pour les 10 % de catholiques du nord du pays.

Outre leurs problèmes intérieurs, les Albanais sont confrontés au problème de leurs frères, les Albanais du Kosovo. Cette province de la Serbie avait obtenu un élargissement de son administration autonome par la constitution titiste de 1974. Une partie de sa population ne s'en contentait pas et réclamait le statut d'une « république de Kosovo » membre de la Fédération yougoslave : ainsi en 1981, lors de violentes manifestations. Le gouvernement serbe refusa, arguant que ce statut impliquait le droit de sécession et que la demande albanaise n'était ainsi qu'une première étape vers un détachement du Kosovo de la Fédération. À l'arrivée au pouvoir de Milošević à Belgrade en 1986, la province se trouvait soumise à une présence militaire serbe qui faisait dire aux Albanais qu'ils étaient occupés. En sens inverse, on signalait dans les villages des violences exercées par les Albanais contre les habitants serbes. Milošević donna à la presse de Belgrade toute liberté pour raconter ces « atrocités » : on parlait d'un « génocide des Serbes ». À partir de 1987, Milošević organisa de vastes rassemblements au Kosovo. Le point culminant en fut le 28 juin 1989, pour le six-centième anniversaire de la bataille de 1389 : plus d'un million de Serbes se rassemblèrent dans la plaine pour acclamer le discours de leur leader. En même temps, Milošević voulut réduire l'autonomie de la province. La résistance albanaise s'organisa : de grandes grèves des mineurs et des étudiants se produisirent pendant le printemps 1989. Il y eut 24 morts et des centaines d'arrestations. Le parlement de Belgrade déclara dissout son homologue de Priština, imposa une « serbisation » de l'enseignement, supprima les journaux en albanais, de même que la télévision et la radio. Les Serbes prenaient en mains la direction de la province.

Les Albanais s'organisèrent pour résister : une Ligue démocratique du Kosovo (LD), présidée par l'écrivain Ibrahim Rugova, se constitua avec un programme de résistance passive. En septembre 1990, ce parti organisa un référendum clandestin — car interdit par les autorités serbes — sur l'indépendance du Kosovo : à la quasi-unanimité des votants, la réponse fut positive. Seule l'Albanie voisine reconnut ce pays indépendant alors que les membres de l'Europe le récusait. En mai 1992, un pas de plus fut franchi : l'élection d'un président de la République. Ce fut Ibrahim Rugova qui l'emporta avec près de 95 % des voix. La résistance passive prônée par leur président permit aux Kosovars — 1,8 million d'Albanais contre moins de 20 000 Serbes — de mettre sur pied une société parallèle. Les Serbes avaient fermé les mines et les usines : on mit en place un secteur privé de petits commerçants et artisans qui récupéra les chômeurs et assura le ravitaillement de la population. Les écoles devaient enseigner les programmes serbes pour la langue, l'histoire et la géographie : en février 1992, on organisa d'abord de façon clandestine dans des appartements, puis plus ouvertement, des classes albanaises pour les quelque 300 000 élèves. Le résultat fut que, assez souvent, le niveau de vie des Albanais était supérieur à celui des Serbes employés de l'État. Notons que la « république du Kosovo » lève un impôt clandestin de 3 % sur les bénéfices. Les demandes politiques demeurent inchangées : obtenir la reconnaissance de la république, soit fédérée avec la Serbie, soit réunie à l'Albanie indépendante. Priština a essayé, sans succès, d'obtenir de la CEE son indépendance et, désormais, de plus en plus nombreux sont les Kosovars qui rêvent d'une union avec la « mère-patrie ». Mais Tirana, prise dans ses problèmes internes, est pour le moment relativement discrète.

3. La Roumanie ballottée

Dès le lendemain de la fuite de Ceaucescu, un Front du Salut national fut constitué qui prit les affaires en mains avec l'un des tombeurs du dictateur, Ion Iliescu, un apparatchik qui avait été écarté durant quelques années de la direction du Parti communiste et un jeune ingénieur formé en France, Petre Roman, qui eut la charge de chef du gouvernement. La révolution fut, à Bucarest du moins, résolument anticommuniste et dès le 12 janvier 1990, sous la pression de la rue, le gouvernement mit hors la loi le Parti communiste. En même temps, un décret redonnait aux citoyens la disposition de leur passeport et leur permettait de voyager. Dans le même sens, le Front ayant annoncé qu'il présenterait des candidats aux premières élections prévues pour le printemps, des milliers d'étudiants et de jeunes manifestèrent pour protester contre une politique qui, disaient-ils, n'était que la continuation de celle du parti communiste. Au mois de mai 1990, les premières élections « libres » eurent lieu : ce fut un triomphe pour Ion Iliescu et le Front. Les campagnes et les petites villes avaient massivement voté pour eux. Ion Iliescu devenait le premier président de la République après Ceaucescu et obtenait la majorité absolue au Parlement. Petre Roman fut reconduit comme premier ministre. L'opposition dénonça des fraudes électorales et, à Bucarest, les étudiants occupèrent la place devant l'université, entretenant une agitation permanente. Du 13 au 15 juin 1990, l'on vit arriver dans la capitale par trains spéciaux des milliers de mineurs du Jiu, qui attaquèrent les étudiants, détruisirent les locaux des partis d'opposition. Ion Iliescu les remercia et au bout de trois jours, les mineurs repartirent dans leur vallée. Ce fut la *mineriade* dont bien des aspects demeurent obscurs : l'opinion internationale fut choquée par ces violences et l'ambassadeur des États-Unis boycotta la cérémonie d'installation du président Iliescu. Pendant ce temps, la situation économique se détériorait : Petre Roman prit de très nombreuses mesures de « réformes ». Malgré cela, la production chuta de 15 % pendant cette première année de liberté et la réforme foncière qui rendait aux paysans des kolkhozes la disposition de leurs terres fut un trompe l'œil qui ne bénéficia qu'à un petit nombre. Le troc et le marché noir devinrent des plaies durables de la vie quotidienne. L'opposition formée de nombreux partis et associations : Parti libéral, Parti paysan, Parti de la Grande Roumanie, multipliait les manifestations et obtenait à Bucarest et dans les grandes villes l'appui d'une grande partie de la population, mais elle était profondément divisée et incapable de faire bloc contre le pouvoir. Petre Roman offrit sa démission qui fut finalement acceptée à la fin de septembre 1991. Le président Iliescu se prononçait ainsi pour une politique économique plus prudente et renvoyait son jeune collaborateur qui parla d'un « putsch communiste ».

Une nouvelle étape de la vie politique roumaine commençait. Le successeur de Petre Roman fut un économiste, Theodor Stolojan, dont le programme politique différait peu de celui de son prédécesseur. Le Front du salut national se scinda en deux, donnant la majorité à Petre Roman ; cependant, en septembre 1992, Ion Iliescu fut réélu au second tour avec 48 % des voix contre 33 au candidat de l'opposition, tandis qu'aux élections législatives, son parti, le Font démocratique de salut national, demeurait le premier parti du Parlement. Petre Roman s'enfermait dans l'opposition et un gouvernement se constitua avec l'appui de partis de droite. Cette coalition instable gouverne la Roumanie sous l'autorité très présente du président Iliescu. La situation économique demeure difficile avec une baisse continue de la production : - 5 % en 1993. L'agriculture souffre de la désorganisation due à la privatisation de 85 % des terres, l'industrie lourde s'est effondrée et les autres branches manquent des investissements indispensables ; le chômage, proche des 10 % pour l'ensemble de la population, atteint 18 % dans les régions de grosse industrie. En contrepartie, le secteur des petits producteurs et du commerce privé connaît un essor remarquable.

Deux problèmes se posent aujourd'hui à la Roumanie : celui des Hongrois de Transylvanie et celui de l'ex-Moldavie soviétique. Les quelque 1 750 000 Hongrois qui habitent la Transylvanie et le Banat ont profité de la période qui suivit l'élimination de Ceaucescu pour réclamer le respect de leurs droits prévus par la Constitution. Ils s'appuyaient sur le fait que la révolution de 1989 avait commencé par la résistance aux persécutions policières d'un pasteur de souche hongroise, Laszlo Tokës de Timisoara. De nombreux Magyars — 20 000 peut-être — profitèrent du relâchement des contrôles à la frontière pour se réfugier en Hongrie. Ceux qui restèrent constituèrent une formation politique, l'Union démocratique des Magyars de Roumanie, qui présenta des candidats aux élections et recueillit, à la fin de 1993, 4 % des suffrages. Mais la poussée nationaliste qui avait lieu dans le pays conduisit à de graves incidents : en mars 1990, à l'occasion de la fête nationale magyare à Tirgu-Müres, il y eut au moins trois morts et des centaines de blessés, roumains ou hongrois selon les sources contradictoires. Un Parti de l'union nationale de Roumanie (PUNR) réunit les nationaliste roumains et la tension resta vive dans la région. Depuis, le gouvernement roumain a obtenu de son homologue hongrois l'assurance que le problème de la frontière roumano-magyare ne se posait pas, mais cette position officielle est contredite par celle d'associations politiques. Cette question empêche la signature d'un traité d'amitié entre Bucarest et Budapest. Les discussions achoppent également sur les droits des minorités : les Hongrois représentant 7 % de la population roumaine, leur statut fait l'objet d'âpres marchandages, en particulier pour l'organisation de l'enseignement en hongrois.

Le second problème est celui de l'ex-République soviétique de Moldavie. Il s'agit de la Bessarabie et de la Bukovine du Nord, rattachées à la Roumanie en 1918, reprises par l'URSS par l'ultimatum de Molotov en juin 1940 et qui devinrent à partir de cette date une République soviétique de Moldavie augmentée de la région du Dniestr ukrainien sur la rive droite de ce fleuve. En mars 1989, cette République refusa de participer au référendum sur l'Union organisé par Moscou et proclama son indépendance, ce que refusèrent les minorité russophones du Dniestr et les Gagaouzes [(1)]. L'apaisement se fit avec le voyage à Moscou du président Iliescu en avril 1991. Au mois d'août de la même année, au lendemain du putsch militaire de Moscou, la Moldavie décréta l'interdiction du parti communiste et se proclama République indépendante. On allait vers un rattachement en douceur à Bucarest. La Roumanie reconnut aussitôt le nouvel État qui comptait 4 000 000 d'habitants dont 65 % de roumanophones, quelque 700 000 russophones et 150 000 Gagaouzes. À Tiraspol, capitale de la république du Dniestr, on proclama également l'indépendance et l'on se battit en décembre et au début de 1992 sous les yeux et avec la complicité de la 14e Armée soviétique qui soutenait les russophones. Mais Mircea Snegur avait été plébiscité « président de la Moldavie » par 98 % des votants et voulait arriver à un arrangement. Un cessez-le-feu fut signé en mars 1992. Il y avait eu plus de cent morts. Le président Iliescu fit alors le voyage de Kichinev, désormais désignée par son nom roumain de Chinau, pour y rencontrer son homologue le président Snegur. Une commission internationale où siégeaient des Russes et des Ukrainiens admit que le Dniestr était la frontière, du moins provisoire, entre la République de Moldavie et celle de la Transnitrie russophone. Désormais, la politique du président Snegur est celle « d'un peuple en deux États » et elle est acceptée par Bucarest car la Roumanie craint par dessus tout de voir se reconstituer à ses frontières du nord un grand empire de type soviétique.

---

(1) Descendants des Petchénègues turcs convertis au christianisme.

4. Le drame yougoslave

L'échec de la Ligue des Communistes yougoslaves à adopter un texte sur la restructuration de la Ligue dans le sens du multipartisme le 23 janvier 1989 laissait les partis communistes des différentes républiques prendre des chemins différents. En Slovénie, dès le mois de février 1990, le Parti communiste slovène se déclara indépendant de la Ligue yougoslave et de nouvelles organisations politiques virent le jour : chrétiens démocrates, libéraux démocrates, Alliance démocratique, sociaux démocrates, en vue des élections. À celles-ci, les 8 et 12 avril, l'ensemble des partis non-communistes s'unit pour former le DEMOS qui obtint la majorité des suffrages, 55 %, tandis que les communistes n'obtenaient que 17 %. Cependant, ce fut le chef du parti communiste, Milan Kučan, qui fut élu président de la République avec 58 % des voix contre 41 % à son rival social démocrate. Kučan qui avait bien défendu les intérêts slovènes dans la crise de la Ligue, se mit en congé de parti et confia le gouvernement à un représentant du DEMOS inaugurant une cohabitation durable.

En Croatie où existait une minorité serbe importante, 11,5 %, les élections quelques peu improvisées eurent lieu également en avril 1990. Le parti communiste avait été rebaptisé Ligue socialiste ; à côté de lui, on trouvait des chrétiens démocrates, sociaux démocrates et autres, réunis dans une « Coalition pour l'entente nationale » et un parti isolé, l'Union démocratique croate (HDZ) de Franjo Tudjman. Ce dernier était un ancien général de l'armée de Tito qui quitta la carrière militaire pour se consacrer à la recherche historique ; mais il entra en conflit avec les thèses officielles du régime sur la résistance durant la Deuxième Guerre mondiale et fut emprisonné deux fois. Avec un certain nombre d'anciens résistants, il dénonçait l'injustice à faire porter par tous les Croates les crimes des Oustachis et protestait contre les atteintes portées par le régime titiste à l'identité croate. S'appuyant sur la diaspora croate en Europe et en Amérique du Nord, il fit une campagne marquée par un nationalisme très appuyé. Aux élections du 22 avril 1990, son parti, le HDZ, arriva largement en tête avec 42 % des suffrages, contre 25 % aux communistes et 14 % à la Coalition. Le nouveau parlement où siégeaient 193 députés du HDZ élut Franjo Tudjman à la présidence de la République. Ainsi, les deux républiques du Nord-Ouest se trouvaient, au printemps 1990, dotées de gouvernements non communistes.

L'éclatement de l'ex-Fédération yougoslave
AUTRICHE
Ljubljana
SLOVÉNIE
Zagreb
Rijeka
CROATIE
Save
VOÏVODINE
Novi-sad
BOSNIE-HERZÉGOVINE
Belgrade
ROUMANIE
Bor
Danube
SERBIE
Sarajevo
Split
Mostar
Novi-Pazar
Nis
Sofia
MONTÉNÉGRO
Priština
Dubrovnik
Podgorica
KOSSOVO
BULGARIE
ALBANIE
Skopje
MACÉDOINE
Mer Adriatique
Tirana
GRÈCE
Zones contrôlées en mai 1994 par :
les Serbes
les Musulmans
les Croates
lignes de front
Frontière d'État
Frontière de provinces interne de la Serbie

En décembre 1990, l'Assemblée slovène décida d'organiser un référendum sur l'indépendance et la sécession d'avec la Yougoslavie : 94 % des électeurs approuvèrent ce projet. Le même mois, les Croates votèrent pour une nouvelle constitution qui définissait la Croatie comme un « État unitaire et indivisible » et instituait un système semi-présidentiel à la française. Il n'y était pas formellement question de séparation d'avec la Yougoslavie. Mais le président du gouvernement fédéral de Belgrade, le Serbe Jović mit aussitôt en garde les deux républiques contre des mesures anticonstitutionnelles. Les Serbes de Croatie étaient mécontents de la nouvelle constitution et des mesures touchant le drapeau et l'alphabet ; ils étaient encouragés par les médias de la Serbie qui traitaient Tudjman de « fasciste » soutenu par les « oustachis » et rappelaient les massacres des Serbes pendant la guerre. Le leader des Serbes de Croatie était un psychiatre, Radovan Karadzić qui essaya de négocier sans succès avec Tudjman. En juillet 1990, treize communes majoritairement serbes autour de la ville dalmate de Knin proclamèrent leur autonomie sous le nom de « Région autonome serbe de Krajina ». Des incidents éclatèrent entre Serbes et Croates : les premiers barrant les routes de la région de Knin, puis il désignèrent un « Conseil national serbe », sorte de parlement sous la présidence du maire de Knin, Milan Babić.

Tandis que les républiques du Nord-Ouest avaient accéléré l'organisation d'élections, la Serbie s'efforçait de les retarder. Milošević fit adopter une nouvelle constitution en juillet 1990 pour pouvoir reprendre en mains la situation au Kosovo. Elle soumettait le statut de la province au bon vouloir des autorités de Serbie et réduisait à rien son autonomie. Cette constitution fut approuvée par un référendum qui donna 97 % des votants en sa faveur mais au Kosovo, les Albanais le boycottèrent et il n'obtint que 25 % d'approbation. En juillet, la Ligue des communistes de Serbie devint le Parti socialiste serbe, tandis que se créaient des partis d'opposition. Les élections eurent lieu en décembre 1990 et furent un triomphe pour les communistes au pouvoir ; ils remportèrent 194 sièges sur 250 au parlement de Belgrade et, à l'élection présidentielle qui suivit, Milošević l'emporta avec 65 % des voix contre 20 % à son *challenger*. Les campagnes avaient plébiscité le leader des Serbes.

En Bosnie-Herzégovine, les premières élections libres eurent lieu en novembre et décembre 1990. Le parti communiste y détenait le pouvoir et l'on vit se former un parti musulman, le Parti d'action démocratique (SDA), un parti serbe, le SDS, et un parti croate portant le même nom que celui de Croatie, le HDZ. Le scrutin donna 86 sièges aux musulmans, 72 aux Serbes, 44 aux Croates, 20 seulement aux communistes. Le président de la République fut un musulman ; Alija Iztbegović, le chef du gouvernement fut un Croate et le président de la Chambre un Serbe. La bonne entente des partis était quelque peu surprenante et Alija Izetbegović était le seul des présidents de six républiques à ne jamais avoir été membre du parti communiste. Juriste, il avait été emprisonné deux fois sous le précédent régime. Le Monténégro avait donné ses voix aux communistes, tandis qu'en Macédoine, le Parti nationaliste macédonien qui avait repris l'ancien signe VMRO, était arrivé en tête, suivi de près par les communistes.

Au début de 1991, les institutions fédérales existaient toujours, mais la désintégration de l'État était déjà chose faite. Le seul élément de cohésion était l'armée fédérale dont la grande majorité des généraux et des officiers étaient des Serbes. Mais les Républiques avaient chacune une organisation de défense territoriale. Depuis quatre mois déjà, les Serbes de la Krajina croate s'agitaient, suivis bientôt par leurs compatriotes de la Slavonie orientale, région de la Croatie où ils étaient particulièrement nombreux. Au mois de mars, un incident grave éclata dans le parc national de Plitvice : il y eut trois morts, deux Serbes, un Croate, ce furent les premiers morts de la guerre. En mai, des accrochages entre Serbes et Croates eurent lieu un peu partout en Croatie ; l'armée fédérale intervint et exigea de Zagreb le désarmement de la défense territoriale. À ce moment, les Serbes de la région de Knin votèrent à 92 % leur maintien dans la Yougoslavie avec la Serbie et le Monténégro et l'Assemblée de Krajina demanda son rattachement à la république de Serbie.

Le 15 mai 1991 était la date de rotation du président de la fédération, prévue par la constitution de 1974. C'était au Croate de prendre la présidence. Or, il s'agissait de Stipe Mesić, membre du HDZ et très proche de Tudjman. Cela parut inadmissible aux Serbes. Un vote eut lieu qui donna quatre voix contre quatre : le système était bloqué. La Fédération yougoslave était morte. La Croatie votait aussitôt par référendum : 93 % des votants se prononcèrent pour la séparation d'avec la Yougoslavie. Le 26 juin 1991, la Croatie et la Slovénie proclamaient leur sécession.

Le lendemain, l'armée fédérale envahissait la Slovénie, bombardait l'aéroport alors que la milice slovène s'efforçait de résister. Les postes frontières entre la Slovénie, l'Italie, l'Autriche et la Suisse par où arrivaient en Yougoslavie la majorité des produits importés d'Europe, furent l'objet de vifs combats. Il y eut une centaine de morts. La Communauté européenne intervint : les ministres des Affaires étrangères d'Italie, du Luxembourg et des Pays-Bas obtinrent, trois jours plus tard, le retrait de l'armée fédérale du territoire slovène, le report de trois mois de la déclaration d'indépendance de la Slovénie et de la Croatie. Le 7 juillet, l'armée fédérale s'inclina : le blocus des casernes fut levé et les unités militaires commencèrent à se retirer du pays. Les Slovènes considérèrent qu'en fait leur indépendance était reconnue.

Mais la tension qui diminuait en Slovénie ne faisait qu'augmenter en Croatie où se trouvaient 11 % de Serbes. Les incidents se transformaient peu à peu en guerre. À la fin août , trente-cinq communes de Croatie étaient entre les mains des Serbes du pays. Les habitants croates s'étaient enfuis : le « nettoyage ethnique » commençait en Krajina et en Slavonie orientale. Devant la gravité de la situation, Tudjman constituait, le 1er août 1991, un cabinet d'union nationale. L'armée fédérale venant de Bosnie entreprit alors la conquête de villes comme Vukovar, 40 000 habitants, qui allait tenir trois mois, tandis que l'aviation bombardait les villes de Croatie. Les garnisons de l'armée fédérale qui subsistaient toujours dans ces villes furent attaquées par les Croates et leur fournirent l'essentiel de leur armement. Le 7 octobre 1991, le palais présidentiel de Zagreb était atteint par l'aviation yougoslave. Dubrovnik fut attaquée et son parc hôtelier détruit en dépit des protestations indignées de l'opinion internationale. Pendant ce temps, la CEE s'efforçait de mettre fin aux combats. Quatorze cessez-le-feu furent signés par les deux parties, qui restèrent lettre morte. Une conférence de la paix fut réunie à La Haye, présidée par un ambassadeur anglais, lord Carrington. L'ONU à son tour désigna un négociateur, l'ancien secrétaire d'État américain Cyrus Vance, qui multiplia les voyages à Belgrade. Finalement, le 3 janvier 1992, un quinzième cessez-le-feu fut appliqué et respecté : 14 000 « casques bleus » furent envoyés en Croatie. La guerre avait été atroce et avait duré six mois.

La Bosnie-Herzégovine avait servi de base arrière à l'armée fédérale pendant la guerre. Mais elle se prononça par référendum pour l'indépendance au début de mars 1992 par 63 % des voix. Assez curieusement, la CEE reconnut aussitôt cette indépendance, tandis que les milices serbes commençaient le siège de Sarajevo. La Serbie et le Monténégro proclamèrent alors leur fidélité à l'idée yougoslave en formant une République fédérale de Yougoslavie qui fut boycottée par la communauté internationale. Pendant ce temps, les combats se poursuivaient à Sarajevo et l'ONU votait sans succès l'arrêt des combats en Bosnie-Herzégovine et le retrait des troupes ex-yougoslaves de la République, puis décidait l'embargo commercial et pétrolier de la Serbie et du Monténégro. Un millier de casques bleus étaient envoyés à Sarajevo où les premiers avions humanitaires se posèrent à la fin du mois de juin 1992. Devant le caractère atroce de la guerre, l'ONU institua une commission d'enquêtes sur les crimes de guerre et, pendant que les combats continuaient, des discussions avaient lieu à la CEE et entre les belligérants à l'aéroport de Sarajevo, mais sans suite sur le terrain. À la fin de l'année, les Serbes occupaient à peu près 70 % du territoire de la Bosnie-Herzégovine. Le 20 décembre 1992, la réélection de Slobodan Milošević, président de la Serbie depuis 1987, par 56 % des voix contre 34 % à son *challenger* le Premier ministre, marquait la volonté serbe de continuer la lutte en Bosnie. En 1993, la CEE fut confrontée à un plan de paix prévoyant le découpage du pays — pourtant reconnu par l'ONU — en trois entités sur base ethnique serbe, croate et musulmane ; il fut rejeté par les Bosniaques musulmans et les Serbes, tandis que l'ONU décrétait des « zones de sécurité » autour des ville musulmanes. Mais Croates et Musulmans commencèrent à se battre pour la domination d'un certain nombre d'entre elles. À la fin de l'année, l'impasse était totale : les pourparlers de Genève sur le découpage territorial s'achevaient sur un constat d'échec et la trêve de Noël ne fut pas respectée.

L'année 1994 s'ouvrit sur un espoir : un cessez-le-feu fut observé à Sarajevo et, le 1er mars, était signé à Washington, avec la bénédiction de la Russie, un projet de fédération entre Croates et Musulmans de Bosnie, première étape vers une confédération avec la Croatie indépendante. Allait-on vers un partage de la Bosnie-Herzégovine entre Croates et Musulmans d'un côté — ce qui avait existé pendant la Deuxième Guerre mondiale sous une forme perverse — et les Serbes qui voteraient très vite leur union à la Serbie de Milošević dans une « Grande Serbie » ? Réponse dans les années à venir.

Annexe

Chronologie de la question d'Orient

21 juillet 1774	Le traité de Kutchuk-Khaïnardja met un terme à la guerre russo-turque et signifie le triomphe de Catherine II qui réussit à contrôler la Crimée et les rivages orientaux de la mer Noire. Les navires de commerce russes jouissent de la liberté de navigation sur cette mer et de passage par les détroits.
Octobre 1826	Le traité d'Akkerman confirme les avantages commerciaux des Russes dans l'Empire ottoman et un droit de protection du tsar sur la Moldavie, la Valachie et la Serbie.
20 octobre 1827	Après que le sultan Mahmûd II (1808-1839) ait refusé la médiation anglo-française dans la question grecque, la flotte ottomane est écrasée dans la baie de Navarin.
1828-1829	Pendant la guerre turco-russe, les armées tsaristes s'emparent d'Erzurum à l'est et d'Andrinople à l'ouest.
14 septembre 1829	Par le traité d'Andrinople, complété par le traité de Londres de 1830, l'Empire ottoman accepte l'indépendance de la Grèce, garantie par les grandes puissances, ainsi que l'autonomie pour la Valachie, la Moldavie et la Serbie. À nouveau, la Porte reconnaît la libre-circulation en mer Noire et dans les détroits pour les navires russes.
1832-1840	**Première crise de la question d'Orient**
Mai et juillet 1833	La guerre turco-égyptienne amène les grandes puissances européennes à intervenir diplomatiquement : le traité de Kütaya met une terme à la guerre entre Égyptiens et Turcs. Celui de Hünkâr-Iskelesî prévoit la

	fermeture des détroits à tout navire de guerre. Ces deux traités divisent les chancelleries européennes : les Britanniques s'inquiètent de la progression égyptienne dans la péninsule arabique qui menace la route des Indes et de la tutelle russe de plus en plus pesante sur la Porte. Paris prend fait et cause pour les Égyptiens.
Juin 1839	Les armées ottomanes sont à nouveau battues par celles égyptiennes à la bataille de Nizip.
15 juillet 1840	La Prusse, la Russie, l'Angleterre et l'Autriche signent le traité de Londres qui accorde à Mehmet-Ali l'hérédité de l'Égypte, la Syrie du sud à titre viager. Le refus égyptien amène la flotte anglaise à intervenir à Beyrouth et Alexandrie.
13 juillet 1841	Le traité de Londres met un terme à la crise égyptienne et définit le statut des détroits — Dardanelles et Bosphore — fermés à tout navire de guerre étrangers. La mer Noire est donc neutralisée.
1850-1856	**Deuxième crise de la question d'Orient**
1850-1853	Heurts entre Paris et Saint-Pétersbourg à propos de la protection des Chrétiens dans les Lieux saints. Napoléon III demande le respect des Capitulations — reconnaissance des droits religieux latins sur les Lieux saints —, le tsar Nicolas 1er exige du sultan des garanties pour les chrétiens du culte gréco-russe.
4 octobre 1853	Guerre entre la Russie et la Porte.
Mars 1854	La Porte est alors soutenue par Paris et Londres qui concluent une alliance contre la Russie.
27 mars 1854	Déclaration de guerre de la France et de l'Angleterre à la Russie.
Octobre 1854-septembre 1855	Siège de Sébastopol par les trois alliés.

30 mars 1856	Signature du traité de Paris : évacuation de tous les territoires conquis, indépendance et intégrité territoriale de l'Empire ottoman, « tout conflit entre la Turquie et un autre État devra être soumis à la médiation des États signataires », abolition du protectorat russe sur les principautés danubiennes qui obtiennent du sultan leur indépendance garantie par toutes les puissances, liberté de navigation sur l'embouchure du Danube, renouvellement de la convention de 1841 sur les détroits, neutralisation de la mer Noire.
13 mars 1871	La Conférence de Londres réunie à propos des Détroits et de la mer Noire maintient la convention de 1841 relative au Bosphore et aux Dardanelles mais accepte de voir la Russie fortifier ses ports de la mer Noire. En outre, elle peut disposer d'une flotte de guerre dans cette mer.
1875-1879	**Troisième crise de la question d'Orient**
1875	En Bosnie, la population se révolte contre l'agravation des prélèvements fiscaux décidés par les fonctionnaires ottomans et les grands propriétaires slaves islamisés.
Avril 1876	En Bulgarie, les bachis-bouzouks, irréguliers de l'armée ottomane, répriment durement une insurrection.
Juillet 1876	Guerre de la Turquie contre la Serbie et le Monténégro.
Octobre 1876	La Serbie vaincue signe un armistice avec la Porte.
Décembre 1876-janvier 1877	Échec de la conférence de Constantinople.
Janvier 1877	Par une convention secrète signée entre les diplomates russes et autrichiens, l'Autriche-Hongrie promet de rester neutre dans le futur conflit avec la Turquie ; en échange, elle occupera la Bosnie-Herzégovine. L'Angleterre rassurée de voir que le

	statut de Constantinople et des Détroits ne changera pas, déclare sa neutralité.
Avril 1877	Déclaration de guerre de la Russie aux Ottomans « au nom des intérêts de la Russie et de l'Europe ». Les Roumains, les Serbes et les Monténégrins participent aux opérations de guerre. Défaite de la Porte. Les troupes russes sont sous les murs de Constantinople.
31 janvier 1878	Arrêt des hostilités suite à la pression des Anglais qui envoient une flotte dans la mer de Marmara et des Autrichiens qui mobilisent.
3 mars 1878	Paix de San Stefano : le sultan paie une indemnité à la Russie, abandonne les villes de Kars et de Batoum en Asie Mineure, une partie de la Dobroudja en Roumanie. Les trois États, serbe, monténégrin et roumain, accèdent à l'indépendance. Création d'une grande Bulgarie sous influence russe.
13 juin 1878	Ouverture du Congrès de Berlin pour résoudre la question d'Orient.
13 juillet 1878	Conclusion du Congrès de Berlin qui corrige à la baisse les avantages obtenus par les Slaves : le Monténégro ne reçoit que le port d'Antivari, la Serbie perd une partie des territoires conquis, la grande Bulgarie est divisée en deux principautés, Bulgarie au Nord et Roumélie au Sud. La Bosnie est administrée à tire « provisoire » par l'Autriche. En dépit des engagements du traité de Paris, l'intégrité ottomane n'est pas respectée. La question des nationalités continue de se poser en Bulgarie divisée. La Russie a le sentiment que sa victoire militaire n'est pas couronnée puisque son influence recule dans les Balkans au profit de l'Angleterre qui contrôle la Méditerranée et de l'Autriche qui obtient la Bosnie. La France est réintroduite dans le concert des nations : elle obtient des Capitulations sur les Lieux saints.

Chronologie de la formation des États balkaniques

L'Albanie

1881	La Ligue nationale formée à Prizren se révolte contre les Ottomans. Répression du mouvement.
1887	Ouverture de la première école albanaise, publication du journal en langue albanaise, *Drita*.
28 novembre 1912	Proclamation de l'indépendance par Ismaïl Qemal.
29 juillet 1913	La conférence de Londres décide la création d'une Albanie neutre sous la protection des grandes puissances européennes.

La Bulgarie

1860	L'église bulgare proclame son autocéphalie sous un exarque.
1870	Par un *firman*, le sultan reconnaît l'autonomie de l'exarchat de Bulgarie.
Avril 1876	Le soulèvement nationaliste bulgare est réprimé férocement par les forces ottomanes.
1877	La Russie déclare la guerre à la Turquie.
3 mars 1878	Par la paix de San Stefano, la Russie impose à la Turquie battue la création d'une grande Bulgarie « vassale et tributaire de la Porte sous un prince choisi par la Russie ». Le tracé de ses frontières comprises entre Andrinople et la frontière serbe, est corrigé en juin-juillet 1878 par le congrès de Berlin. La principauté de Bulgarie continue à dépendre de la Porte tandis que le Roumélie (province de Plovdiv) a un statut de province autonome.
1879	Le prince Alexandre de Battenberg, neveu du tsar, est mis à la tête de la Bulgarie.
1885	Réunion des deux provinces de Roumélie et de Bulgarie après une révolution. La Russie furieuse organise un complot contre Alexandre de Battenberg.

1885	Guerre serbo-bulgare.
20 août 1886	Coup d'État militaire organisé par les Russes contre le souverain bulgare. Agitation nationaliste bulgare contre la Russie.
Juin 1887	Le prince Ferdinand de Saxe-Cobourg, élu par l'assemblée bulgare, *le Sobranié*, succède à Alexandre de Battenberg.
1908	Le prince Ferdinand prend le titre de tsar. La Bulgarie devient totalement indépendante vis-à-vis de l'Empire ottoman.

La Grèce

1821-1830	La bourgeoisie et une fraction de la classe phanariote liée à l'Hétairie se lancent dans une guerre d'indépendance contre les Ottomans.
25 mars 1821	Germanos, archevêque de Patras, proclame la guerre de libération nationale contre les Turcs.
12 janvier 1822	L'assemblée des députés grecs, réunie à Épidaure, proclame l'indépendance de la Grèce.
1826	Les armées ottomanes reprennent Missolonghi et Athènes.
20 octobre 1827	La France, la Russie et l'Angleterre détruisent la flotte égyptienne à Navarin.
1828	Jean Capodistria devient le gouverneur de la Grèce, mais d'emblée il suscite l'opposition des notables, des intellectuels et des libéraux. Considéré comme trop proche des Russes, il est assassiné peu après.
1828-1829	Guerre entre la Russie et l'Empire ottoman.
14 septembre 1829	Par le traité d'Andrinople, les Turcs acceptent l'indépendance d'une Grèce vassale.
7 mai 1832	La Porte reconnaît par le traité de Londres la création d'une Grèce indépendante.
1883-1862	Othon 1er, roi de Grèce.
1835	Athènes devient la capitale du Royaume grec.

Le Monténégro

1830	L'évêque, Petar 1er, devient le Vladika seul maître du Monténégro.
1830-1852	Le Vladika Petar II écrit la *Guirlande des montagnes* en 1845 et devient l'un des plus grands poètes serbes. Danilo II, son neveu (1852-1860) sécularise la charge de gouverneur du Monténégro et devient le *gospodar.*
Juin 1876	Le Monténégro prend part à la guerre contre l'Empire ottoman, otient une déclaration d'indépendance au traité de San Stefano confirmé par le traité de Berlin. Le Monténégro acquiert le port d'Antivari sur la mer Adriatique.
1910	Nicolas 1er (1860-1918), prince puis roi du Monténégro établit une frontière commune avec la Serbie dont il est allié.

La Roumanie

1820	La société secrète, l'Hétairie, prépare les plans d'une insurrection soutenue par les Russes en Moldavie.
1821	Révolte de Vladimirescu en Olténie. Son armée de paysans entre à Bucarest mais s'en prend à l'Église héllenisée. En mai, accusé de traîtrise, Vladimirescu est exécuté.
1829	Le traité d'Andrinople autorise la Russie à accorder aux principautés roumaines un nouveau statut.
1831-1832	Par le « règlement organique », les principautés roumaines accèdent à l'autonomie interne sous la tutelle d'une assemblée de nobles — *boyards* — et d'un prince nommé en commun par le tsar et le sultan.
1848	Le « printemps de peuples» a de profondes répercussions en Moldavie, Valachie, Otlénie où les milieux libéraux réclament l'autonomie religieuse et nationale. La désunion entre les mouvements révolutionnaires facilite la répression.

1856	À l'issue de la guerre de Crimée gagnée par la France, l'Angleterre et la Porte contre la Russie, le protectorat russe cesse sur les principauté roumaines.
1858	Grâce au soutien de Napoléon III, les principautés roumaines deviennent autonome mais non indépendantes de la Porte.
1859	Les deux assemblées moldave et valaque élisent le même prince Ion Cuza (1859-1866).
1876	La guerre russo-turque permet de reposer la question de l'indépendance de la Roumanie.
3 mars 1878	Par la paix de San Stefano, la Roumanie obtient la Dobroudja tandis qu'elle cède à la Russie vitorieuse des Turcs la Bessarabie.
1881	Reconnaissance *de jure* de l'indépendance de la Roumanie et débuts du règne de Carol 1er.

La Serbie

1804	Révolte des Serbes provoquée par les excès des Janissaires.
30 novembre 1806	Georges le noir dit Karageorge réussit à prendre la ville de Belgrade.
1813	La fin du soutien russe aux insurgés serbes provoque l'échec de l'insurrection.
1815	Sous la direction de Miloš Obrenović, deuxième insurrection serbe.
1817	L'assemblée, *škupstina*, élit Miloš Obrenović premier prince de Serbie. Il règne juqu'en 1839.
29 août 1830	L'édit impérial, *hatt-i-sherif*, reconnaît l'autonomie de la Serbie.
1876	Guerre de la Serbie alliée du Monténégro et soutenue par la Russie contre la Porte. Défaite des armées serbes sur la Morava.
1878	À l'issue du Congrès de Berlin, la Serbie devient indépendante.
1881	Proclamation du royaume de Serbie.

— Bibliographie —

La bibliographie française est très réduite, en dehors des « livres d'opportunité » sortis à cause de la crise yougoslave.

- **Le tableau historique** est brossé par

Georges CASTELLAN, *Histoire des Balkans (XIV-XXe siècles)*, Fayard, 1991 (qui s'arrête en 1945).

La suite est donnée par

François FEJTÖ, *Histoire des Démocraties populaires*, 2 vol., Le Seuil, 1969.
François FEJTÖ, *La Fin des Démocraties populaires : les chemins du post-comunisme*, Le Seuil, 1992.

- Sur les **périodes antérieures de l'Histoire**, on pourra se reporter à :

Georges OSTROGORSKI, *Histoire de l'État byzantin*, Payot, 1971. (en fait, il s'agit d'une histoire des Balkans qui va de 320 à 1453).
Robert MANTRAN (éd.), *Histoire de l'Empire ottoman*, Fayard, 1989. (Englobe les Balkans, mais du point de vue ottoman, de 1362 à 1923).

Ces deux ouvrages comportent des bibliographies étendues.

- La collection « Que sais-je ? », PUF, avait publié :

Georges CASTELLAN, *L'Albanie* (n° 1800) ; *La Bulgarie* (n° 1637) (avec la collaboration de N. TODOROV) ; *L'Histoire de la Roumanie* (n° 2124). Ces ouvrages qui traitent de la période communiste, sont en cours de réimpression.

Dans la même collection, *cf.*

N. SVORONOS, *Histoire de la Grèce moderne*

- Les éditions Horvath de Roanne ont publié, dans une collection intitulée « Histoire des Nations européennes », des traductions en français d'ouvrages d'historiens des divers pays. On notera que ceux de la période 1970-1989 représentaient l'historiographie marxiste de l'Albanie, la Bulgarie, de la Roumanie.

On pourra consulter :

Stefanak POLLO (éd.), *Histoire de l'Albanie des origines à nos jours*, 1974.
Ivan DUJCEV (éd.), *Histoire de la Bulgarie des origines à nos jours*, 1977.

Apostolos VACAOPOULOS, *Histoire de la Grèce moderne*, 1975. (Avec un résumé introductif jusqu'à la guerre d'Indépendance de 1821.)

- **Sur la Yougoslavie :**

Paul GARDES, *Vie et mort de la Yougoslavie*, Fayard, 1992. (Solide analyse de la crise actuelle.)

- **Sur la Transylvanie :**

Bela KÖPECZI (éd.), *Histoire de la Transylvanie*, Ak. Kiado, Budapest, 1992. (Il s'agit évidemment du point de vue hongrois.)

L'université de Cluj a présenté la thèse roumaine dans : Centre d'Études et de Recherches relatives à la Transylvanie, *La Transylvanie*, Paris, La Pensée Universelle, 1990. (Étude de la situation actuelle.)

- **Sur la Macédoine, on se reportera au livre anglais :**

Konstandinos A. VAKALOPOULOS, *Modern History of Macedonia, 1830-1912*, Thessaloniki, Barboulakis, 1989. (Point de vue des Grecs.)

Pour ceux qui lisent l'anglais, ils se reporteront à :

Barbara JELAVICH, *History of the Balkans*, Cambridge University Press, tome I : *Eighteenth and Nineteenth Centuries*, 1983, tome II : *Twentieth Century*, 1983. (Traité d'histoire jusqu'en 1980.)

Joseph HELD, *The Columbia History of Eastern Europe in the Twentieth Century*, New York, Columbia University Press, 1992. (Traite de la période 1918-1990 pour l'Albanie, la Bulgarie, la Tchécoslovaquie, la Pologne, la Hongrie, la Roumanie, la Yougoslavie, la RDA.)

Note sur les transcriptions

Pour les mots turcs ou utilisés par les Ottomans (origine persane ou autre), on a suivi la transcription de Robert Mantran, *Histoire de l'Empire ottoman,* Fayard, 1989.

c = dj	*cebelü* (prononcer djebelü)
ç = tch	*çift* (tchift)
ş = ch	*şehir* (chehir)
u = ou	*kanun* (kanoun)
ü = u	*müderris* (mudérris)
z = z	*kaza* (kaza)
h = kh	*harac* (kharadj)

Pour les langues slaves (serbe, bulgare), on a adopté la transcription officielle en latinica :

c = ts	*glavnica* (prononcer glavnitsa)
č = tch *š* = ch	*čaršija* (tcharchia)
u = ou	*skupština* (skoupchtina)
ž = j	*župan* (joupan)

Pour le roumain :

ch = qu	*peşcheş* (prononcer pechquèch)
ş = ch	*şoltuzi* (choltouzi)
ţ = ts	*ţaranism* (tsaranism)

Pour l'albanais :

ë = e	*domnë* (prononcer domne)
c = ts	*car* (tsar)
ç = tch	*çiflik* (tchiflik)
sh = ch	*Arbëresh* (Arberech)
x = dj	*Hoxha* (Hodja)

G. Castellan, *Histoire des Balkans,* Fayard

Achevé d'imprimer
sur les presses de l'imprimerie Maulde et Renou
Tél. : 49.26.14.00
Dépôt légal : Mai 1994 Édit. n° 6226
245/94040173